Colección LECTURA[illegible]ANOL

Lecturas de Español son historias interesantes, breves y llenas de información sobre la lengua y la cultura de España. Con ellas puedes divertirte y al mismo tiempo aumentar tus conocimientos. Existen seis niveles de lecturas (elemental I y II, intermedio I y II y superior I y II), así que te resultará fácil seleccionar una historia adecuada para ti.

En *Lecturas de Español* encontrarás:

- temas e historias variadas y originales
- notas de cultura y vocabulario
- ejercicios interesantes sobre la gramática y las notas de cada lectura
- la posibilidad de compartir tu lectura con otros estudiantes

NIVEL INTERMEDIO - I

Azahar

Coordinadores de la colección:
Abel A. Murcia Soriano (Instituto Cervantes. Varsovia)
José Luis Ocasar Ariza (Universidad Complutense de Madrid)

Autor del texto:
Jorge Gironés Morcillo

Explotación didáctica:
Abel A. Murcia Soriano

Ilustraciones:
Raúl Martín Pérez de Ossa
Juan V. Camuñas

Diseño de la colección:
Antonio Arias Manjarín

Dirección Editorial:
Fernando Ramos Díaz

I.S.B.N.: 84-89756-39-2
Depósito Legal: M-49.656-2.001

Editorial Edinumen
Piamonte, 7. 28004 - Madrid (España)
Tlfs.: 91 308 22 55 - 91 308 51 42
Fax: 91 319 93 09
E-mail: edinumen@mail.ddnet.es

Filmación: Reprografía Sagasta (Madrid)
Imprime: Gráficas Glodami. Coslada (Madrid)

Azahar

ANTES DE EMPEZAR A LEER

1. Todas las palabras que figuran a continuación pertenecen al menos a uno de los cuatro campos semánticos / temas que figuran más abajo. Señala cuál es.

- Rosa
- Azahar
- Lirio
- Clavo
- Violeta
- Margarita
- Clavel
- Pino
- Amapola
- Tulipán
- Magnetofón
- Jazmín
- Libro
- Naranjo
- Bayeta
- Lila
- Azucena
- Magnolia

NOMBRES DE MUJER	FLORES	OBJETOS DE USO COTIDIANO	ÁRBOLES

2. Ahora ya tienes una idea del significado de la palabra "azahar". A continuación tienes la definición que aparece en el *Diccionario del español actual*, dirigido por Manuel Seco.

> **azahar** *m* Flor del naranjo y de otros cítricos, blanca y de intenso perfume, usada en medicina como sedante.

Veamos cómo andan tus asociaciones de ideas. A continuación aparece una columna con distintas zonas de España y otra con ciudades, lugares, monumentos, etc., característicos de esas zonas. Relaciona una y otra columna.

1. Cataluña •	• a) Santiago de Compostela
2. Galicia •	• b) El Museo del Prado
3. Andalucía •	• c) La Sagrada Familia
4. Madrid •	• d) La Alhambra

Sigamos con tus asociaciones de ideas. En la definición de "azahar" has leído:

"Flor del naranjo y de otros cítricos, blanca y de intenso perfume".

¿En cuál de los lugares de España que figuran a continuación crees que puedes disfrutar con mayor facilidad del olor a azahar? Te puede servir de ayuda saber que las naranjas españolas proceden en su mayor parte de esa zona de España.

- País Vasco
- Aragón
- Extremadura
- La Rioja
- Valencia
- Castilla-León

Seguro que has encontrado la respuesta, pero si no es así, lee la primera frase del libro y la encontrarás.

3. Esta historia se desarrolla en una de las Comunidades Autónomas que componen España.

Aquí tienes un mapa en el que figuran los nombres de todas las Comunidades, menos tres. Con la información que tienes en estas tres frases colócalas en el lugar que les corresponde.

a. La Comunidad Valenciana, en el este de España, está al sur de Cataluña y al norte de Murcia

b. Castilla – La Mancha está al sur de la Comunidad de Madrid y al norte de Andalucía.

c. Asturias está en el norte de España, al oeste de Cantabria y al este de Galicia.

4. Como has podido comprobar en la primera actividad, hay muchos nombre de mujer que coinciden con nombres de flor. ¿Crees que puede ser el nombre de la chica que aparece en la portada? ¿Sobre qué imaginas que puede tratar la historia? ¿Dónde crees que puede desarrollarse la acción? Apunta aquí abajo todo lo que has imaginado al ver la portada y comprueba cuando acabes la lectura cuántas cosas coinciden con lo que tú imaginabas al principio.

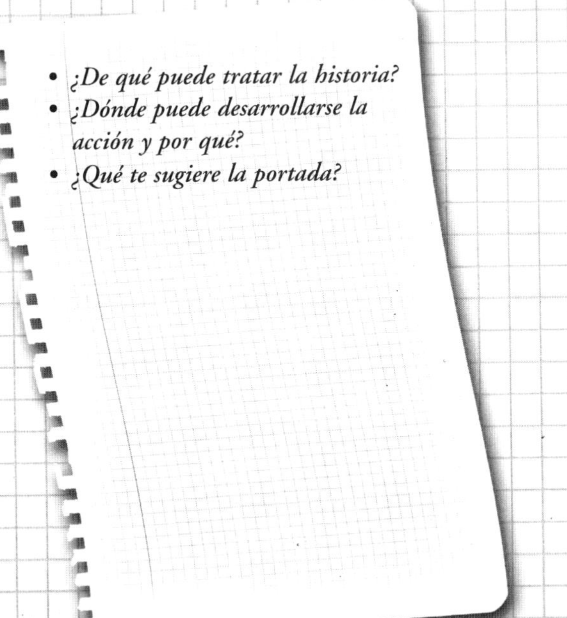

5. Antes de empezar a leer la historia haz una descripción detallada de la chica de la portada y comprueba después, a medida que vayan apareciendo los personajes femeninos, a quién pertenece el retrato.

Y ahora te deseamos una agradable lectura.

UNO

Valencia: ciudad de la costa mediterránea, tercera de España por su población.

Avenida del Cid: una de las principales vías de Valencia. Recibe su nombre del Cid Campeador, héroe castellano del siglo XI y que gobernó la ciudad.

solos: sin la ayuda de nadie.

Julio Vidal ha llegado a **Valencia** hace menos de una hora. Vive en Suecia desde hace mucho tiempo, pero no ha visto a sus padres en tres años.

Ernesto conduce el coche con el que llegan a Valencia desde el aeropuerto. Circulan por la **Avenida del Cid** y hay mucho tráfico, porque son las dos de la tarde y todo el mundo vuelve a casa a comer. Julio mira por la ventanilla, respira profundamente y cierra los ojos. Se siente bien, por primera vez en todo el día.

- ¿Qué tal están papá y mamá? ¿Los cuidas bien?
- Ellos se cuidan **solos**.
- Oye, Ernesto, ¿están muy enfadados conmigo?

Ernesto espera unos segundos.

- Tú ya sabes qué piensan ellos. Tres años sin verte es mucho tiempo, Julio —Ernesto aparta los ojos de la carretera y mira a su hermano—. Pero están contentos de poder verte por fin. Y yo también.

Julio tiene un buen trabajo en Estocolmo, es diseñador gráfico en una agencia de publicidad. Tiene también algunos buenos amigos y un nivel de vida bastante alto. Después de su mes de vacaciones en Valencia piensa volver a su vida habitual.

Esta noche pasada Julio aún ha dormido en su moderno apartamento de Estocolmo. Esta manaña se ha levantado a las seis y media, después de dormir sólo cuatro horas. Ha desayunado sólo un zumo de naranja y se ha duchado con agua fría para sentirse mejor: su estómago y su cabeza le decían que no debía nunca más mezclar cerveza con vodka la noche anterior de un viaje en avión. Se ha vestido con ropa ligera y ha hecho una coleta con su enorme melena rubia y rizada. Después de llamar a un taxi, ha cerrado la puerta con llave y ha bajado a la calle con la maleta ya preparada desde ayer. Y no ha podido pensar con claridad hasta después de varias horas, hasta que no se ha tomado el tercer café que le ha servido amablemente la azafata del avión. Y ha pensado que tres años es mucho tiempo y que sus padres están enfadados, evidentemente, y seguro que se lo van a decir.

Tres años es mucho tiempo y tal vez va a encontrar muchos cambios en Valencia, en sus padres, en su hermano, y en él mismo en esta ciudad, ya casi extraña. Va a encontrar muchos cambios en sus amigos: Paco Mateu, antiguo compañero de estudios, le escribió hace dos meses una carta para decirle que quería reunir a los viejos compañeros de **C.O.U.** en su casa de **Denia**, y él, naturalmente, estaba invitado. La reunión es este fin de semana, es decir, pasado mañana.

C.O.U.: en el anterior sistema educativo, Curso de Orientación Universitaria. Se estudiaba con 17-18 años.

Denia: localidad turística de la Costa Blanca, en la provincia de Alicante.

Lo cierto es que Julio no sabe bien por qué viene a Valencia: no sabe si viene porque quieren sus padres, o porque quiere él; no sabe si viene para encontrarse de nuevo con los amigos que casi ha olvidado, o para volver a ver a alguien a quien nunca ha podido olvidar. Lo peor de todo es que Julio tampoco sabe si Paco la ha invitado también a ella, a Laura Ferrer, la encantadora Laura. Tiene miedo de encon-

trarse de nuevo con ella, después de todo aquello que pasó. Pero tiene más miedo de no volverla a ver.

Julio mira por la ventana del coche los viejos edificios junto al **Turia**, algunos completamente **restaurados**, otros casi en ruinas. Ernesto sigue agarrado al volante del coche con la mano izquierda, mientras con la derecha pone una casete. Suena la voz ronca de **Joaquín Sabina**.

Turia: río que atraviesa Valencia. En su cauce, hoy sin agua, hay parques e instalaciones deportivas y de ocio.
restaurados: arreglados, reformados.
Joaquín Sabina: cantante y compositor español muy popular.
Calle de la Paz: una de las calles más largas de la parte antigua de Valencia.

Hace mucho calor porque ya estamos a finales de junio, y Julio se pasa la mano por la frente y se la seca en el pantalón.

Dejan la **Calle de la Paz** y entran por una calle estrecha. Ernesto aparca el coche sobre la acera y salen. Ya están en casa. Mira hacia arriba y ve a sus padres, una pareja mayor, los dos de pelo blanco, en el balcón del tercer piso. Empiezan a agitar las manos para saludarlo. Julio les saluda también, tímidamente, con una mano y un "hola" en voz baja que seguramente no han oído. Los mira unos segundos y ellos desaparecen: van a bajar a recibirlo. Ernesto está ya junto al portal, sonriendo, con una maleta en una mano y una bolsa de viaje en la otra.

* * * * *

- ¿Café para todos?

Todos dicen que sí. La casa de los padres de Julio es grande, tiene muebles antiguos y plantas con flores por todas partes. Están en el comedor, sentados a la mesa. Ya han comido y doña Amparo, la madre, trae de la cocina una bandeja con el café y un pastel enorme de chocolate, hecho por ella misma.

- Pero, mamá, ya no puedo más.

Están en el comedor, sentados a la mesa.

- ¿Me estás diciendo que no quieres un trozo de pastel? No me lo creo. **Venga**, pruébalo; mira, este trozo es más pequeño.

venga: (en este contexto) expresión para animar a alguien a hacer algo.

- Bueno, Julio, ¿cuándo piensas volver? —Don Miguel, el padre, piensa que ya ha llegado el momento de hablar de cosas importantes.

- Ya he vuelto, ¿no? Estoy aquí.

Julio y Ernesto se miran y piensan: "empieza la misma **canción** de siempre".

canción: aquí, asunto, historia que siempre se repite y provoca cansancio.

- Para quedarte, Julio, para siempre, en tu casa y con tu familia —don Miguel ha empleado, sin querer, un tono autoritario, y quiere suavizarlo— ¿Dónde vas a estar mejor que aquí, Julito?

Julio no quiere empezar tan pronto la misma discusión de siempre, y no contesta.

Doña Amparo y don Miguel aún no entienden por qué Julio lleva tanto tiempo fuera de España. Es muy difícil para ellos comprender por qué hace diez años renunció a los estudios de Medicina que pensaba empezar, y a un futuro profesional seguro en la clínica dentista de su padre. No comprenden por qué se fue a estudiar tan lejos, a Estocolmo, donde vivía la tía Margarita. Don Miguel y doña Amparo piensan que quizás la culpa fue de aquel profesor de dibujo, Enrique, que **le metió en la cabeza** a Julio que tenía que estudiar Bellas Artes y dedicarse a la pintura o al diseño.

meter (algo) en la cabeza (a alguien): convencer después de insistir mucho.

* * * * *

– Julio, ¿me esperas un momento? Me gustaría hablar contigo.

te: en España, generalmente los estudiantes y los profesores se hablan de tú.

instituto: centro educativo de enseñanza secundaria.

selectividad: examen general después de la enseñanza secundaria, obligatorio para acceder a la universidad.

bachillerato: en el anterior sistema educativo es el ciclo de tres años de la enseñanza secundaria, junto al C.O.U. En el nuevo sistema, es el segundo y último ciclo, de dos años, de enseñanza secundaria.

– Sí, sí. ¿**Te** espero fuera?

– Vale. Salgo enseguida.

Enrique recogió sus carpetas, salió de la sala y se dirigió hacia donde estaba Julio, junto a la escalera del primer piso del **instituto**.

– Bueno, Julio, ¿qué me cuentas?

– Un poco cansado, con tantos exámenes.

– ¿Y qué me dices de lo otro que hablábamos, sobre tus estudios?

– ¡Ah! —Julio empezó a bajar las escaleras y Enrique hizo lo mismo, a su lado— Aún no lo he pensado bien.

– Dentro de dos semanas termina el curso.

– Tengo todo el verano para pensarlo, Enrique. Además, antes tengo que aprobar la **selectividad**.

Enrique era profesor de dibujo en el instituto donde Julio estudiaba **bachillerato**. Tenía entonces unos cuarenta y cinco años. Enrique era muy alto, moreno con el pelo corto. Por encima de las orejas se le notaban algunas canas. Llevaba gafas y bigote. Tenía aspecto de profesor, pero más bien de profesor de física o de matemáticas. Su carácter frío y distraído y sus ojos azules le daban un aire misterioso que atraía a muchas de las chicas de clase.

También Julio se sentía fuertemente atraído por su personalidad. Enrique se había dedicado antes a la pintura artística, pero no era buen pintor. En cambio le gustaba dar clases. Amaba las Bellas Artes, y Julio, como Enrique, quería dedicarse a lo que amaba de verdad. Quería estudiar artes y luego ser pintor, o dibujante, o diseñador, o profesor. Enrique decía que si haces lo que te gusta y además eres bueno en tu profesión, nunca te faltará trabajo. «Y tú, Julio, eres bueno, mejor de lo que tú piensas». Julio tenía miedo de decepcionar a Enrique, porque sabía que eso era como decepcionarse a sí mismo.

Pero también temía decepcionar a su padre. Julio era hijo y nieto de los dentistas de la pequeña clínica de la Calle de la Paz. Don Miguel deseaba ver cómo su hijo mayor continuaba la profesión familiar. «Tú estudias Medicina y al mismo tiempo yo te enseño la profesión. Terminas la carrera y compartimos el negocio. ¡Cuántos jóvenes desean tener un futuro tan fácil como el tuyo!».

– Y tiene razón, tu padre —le dijo Enrique a Julio, saliendo por la puerta del instituto y mirando al cielo ya un poco oscuro—. Más fácil, imposible.

Era de noche y la calle estaba llena de coches y de gente que entraba y salía de las tiendas y de los bares. Empezaba a caer una fina lluvia de finales de primavera. Se detuvieron junto a la puerta.

– Precisamente eso, Enrique, es casi lo que no me gusta, que todo parece demasiado fácil. Demasiado aburrido. Me faltarán muchas cosas. La aventura, ¿y la aventura de vivir? Un trabajo creativo es como vivir una aventura cada día —Julio apretó sus libros contra el pecho, para protegerlos de la lluvia—. Pero, ¿cómo le digo yo a mi padre...?

– Mira, Julio, tú ya sabes qué pienso yo sobre tu futuro, pero tú tienes dieciocho años. Decir «no» a tu padre es un crimen. Perder un buen trabajo y un buen nivel de vida **es** también **un crimen**.

es un crimen: (en este contexto) es una pena.

Enrique puso su maletín bajo el brazo, sacó del bolsillo de su camisa un paquete de cigarrillos y encendió uno.

– Pero matar al artista que llevas dentro...

– Es otro crimen, ya lo sé.

Enrique miró a Julio y asintió con la cabeza. Volvió a llevarse el cigarrillo a la boca y miró a través de sus finas gafas metálicas la fachada del edificio de enfrente, donde había una perfumería.

– ¿Alguna vez has intentado ver cómo es un olor?

Julio no respondió, pero miraba a Enrique con cara de sorpresa.

– ¿Ver un olor?

– ¿Qué forma tiene un olor? —continuó—. El **azahar**, ¿qué textura, qué formas tiene el olor a azahar? —calló unos segundos—. Intento pintarlo, ¿sabes?, pero no sé cómo. Lo tengo en mi cabeza, lo imagino, pero no puedo pintarlo.

azahar: flor del naranjo, muy aromática.

Julio no cambió su cara de sorpresa.

– Tal vez me puedes ayudar.

– ¿A pintar un olor?

– A pintar sensaciones, Julio.

Enrique, sonriendo, se despidió y empezó a andar pegado a la pared del edificio, para no mojarse.

DOS

- Hola, ¿está Paco?
- Sí, un momento. ¿De parte de quién?
- De Julio.
- Ahora se pone.

Julio Vidal se ha duchado después de venir de la playa. Ha cogido el teléfono y ha marcado el número de su amigo Paco Mateu.

- ¿Julio? ¿Eres Julio Vidal?
- Sí, Paco, ¿qué tal?
- ¡**Hombre**, Julio, qué sorpresa! ¿Cuándo has llegado?
- Ayer por la mañana, aunque me parece que hace una semana que estoy aquí. Oye, ¿nos vemos este fin de semana en Denia, con los demás?
- Pues claro. Yo ya pensaba que tú no venías, **colega**. ¿Por qué no has dado señales de vida?
- Pero, ¿no recibiste mi carta donde te decía que podíais contar conmigo?
- Sí, sí, pero el encuentro es mañana y yo no sabía nada de ti. Bueno, **tío**, es igual, lo importante es que estás aquí y que contigo vamos a estar casi todos.

hombre: (en este contexto) expresión de sorpresa.

colega: en el lenguaje de los jóvenes es un apelativo que significa amigo.

tío: coloquialmente, colega, amigo.

Julio pensaba preguntarle más tarde por Laura Ferrer, o mañana, pero la ocasión ahora es perfecta.

- ¿Casi todos? ¿Cuántos seremos?
- Bueno, no he avisado a toda la clase, sólo a los que salíamos juntos, y vienen casi todos: Pepe, Juan Carlos, Pilar... los más amigos.

Julio esperó un momento para pensar la pregunta más discreta.

- ¿Y quién no viene?
- Laura, por ejemplo. Bueno, no estoy seguro. Me envió una carta para decirme que hasta el último momento no podía asegurar nada, por su trabajo...
- Bueno —Julio siente de golpe una gran decepción—. ¿Y quién más? -continúa para disimular.
- ...y como no me ha vuelto a llamar, supongo que no puede venir. Pero, **¡quién sabe!**
- **Ya**, quién sabe. Bueno, va a ser un fin de semana estupendo, Paco —a Julio le cuesta trabajo no exteriorizar su decepción—. Tengo ganas de veros a todos, será muy bueno vernos otra vez, después de tanto tiempo.

quién sabe: pregunta retórica para indicar el desconocimiento sobre algo.

ya: aquí, para afirmar: sí.

Julio y Paco siguen hablando durante media hora. Al final, deciden **quedar** para mañana.

quedar: aquí, tener una cita.

- Oye, Julio, mañana tengo que ir a Valencia, por unos asuntos de mi trabajo; de paso tenía intención de ir de compras para el fin de semana, porque aquí, en el pueblo, por el turismo, todo es más caro. ¿Por qué no paso a recogerte por la tarde, compramos juntos y luego venimos directamente a Denia? Así lo podremos organizar todo, y tendremos también más tiempo para hablar, ¿no?
- Vale, muy bien. ¿A qué hora quedamos?

- ¿A las siete te va bien?
- Vale. Oye, ¿recuerdas mi dirección?
- Pues no. **Anda**, dámela.
- Toma nota: calle Bonaire, número 5, puerta 6.
- Bien, ya está. Entonces, hasta mañana, colega.
- Nos vemos mañana. **Chao**.

anda: (en este contexto) expresión con la que Paco inicia una petición.

chao: procedente del italiano *ciao*, su uso está muy extendido en España como expresión de despedida (a diferencia del italiano, no sirve como saludo).

* * * * *

Paco no era ni muy alto, ni muy guapo, ni muy fuerte. Era más bien flaco y llevaba el pelo largo y siempre despeinado. Pero era muy simpático, hablador y bromista. Y un **ligón**. He conocido pocos chicos más ligones que Paco.

ligón (fem. **ligona**): quien tiene facilidad para ligar, establecer relaciones chico-chica, no necesariamente sexuales.

Físicamente tampoco nos parecíamos en nada, sólo en que los dos estábamos entonces bastante delgados y éramos **tirando a feos**. Yo era alto, rubio y con el pelo corto y rizado. Unas "simpáticas" pecas en la nariz anulaban el escaso atractivo físico que podía tener.

tirando a feos: más feos que guapos.

A Paco yo lo admiraba, y también lo envidiaba, porque yo era un chico callado y **soso**. Paco era muy sociable. Y su facilidad para hablar, su habilidad para la comunicación era lo que yo, y creo que todo el mundo, más admiraba y envidiaba de él. Pero también lo apreciaba, porque él me apreciaba a mí y era de los pocos en clase que me prestaban atención alguna vez.

soso: (aplicado a una persona) aburrido y sin gracia.

Y es que, además, era buen chico: sincero y afectuoso. Afectuoso especialmente con las **chavalas**, que no podían resistir sus encantos y le devolvían a menudo más afecto, con palabras. A veces, con algo más que palabras.

chavalas: (coloquial) chicas, muchachas.

Mercadona: principal cadena valenciana de supermercados de alimentación y productos para la casa.
estar fresquito: gozar de una temperatura fresca, agradablemente fría.
pacharán: licor elaborado a partir de la endrina. Aunque es de origen navarro, se bebe en toda España.

Julio y Paco dejan el coche en el aparcamiento de **Mercadona** y desde allí entran directamente en el supemercado. **Se está fresquito**.

Paco mete la mano en el bolsillo y saca un papel con la lista de la compra.

- ¡**Pacharán**! Hay que coger pacharán. Dos botellas. ¿Es suficiente? —se dirige a Julio— Oye, ¿tú crees que aún seremos capaces de beber tanto como antes?

Los dos ríen. Siguen comprando durante casi una hora, porque de paso hablan y hablan. Ha pasado mucho tiempo y hay muchas cosas que contarse. Julio le habla sobre su trabajo, sobre el país donde vive y sobre la gente de allí. Le revela que está muy contento con la vida que tiene, aunque le confiesa que al principio le costó mucho esfuerzo adaptarse a un clima y a unas costumbres tan diferentes. Le habla también sobre su afición a la pintura, que nunca ha dejado de cultivar. Paco le pregunta si piensa volver pronto a vivir a España. Julio está ya un poco harto de oír siempre la misma pregunta, pero Paco no tiene la culpa.

paella: plato típico valenciano a base de arroz, y uno de los más populares de la gastronomía española.
sangría: bebida refrescante con vino tinto, limonada, trozos de frutas y azúcar.
menos da una piedra: mejor tener eso que no tener nada.

- De momento, no. Estoy muy a gusto allí. Estocolmo es una ciudad preciosa. Y cuando me apetece **paella** y **sangría**, voy al restaurante español que hay en la ciudad. No es lo mismo, claro, pero **menos da una piedra**.
- Hay otras cosas, Julio. La familia, los amigos, el lugar donde has crecido.
- Sí, todas esas cosas también son importantes, claro. No sé... —Julio coge unas latas de **berberechos** y de **mejillones** y las enseña a Paco– ¿Podemos añadir esto?
- Sí, sí, coge más, coge más si te gustan —insiste Paco.

berberechos y mejillones: moluscos pequeños muy apreciados para tomar antes de las comidas.

pues eso: expresión para continuar hablando de un tema antes interrumpido.

- **Pues eso** —continúa Julio— supongo que se trata de otra cosa. Creo que en algunos momentos hay que decidir entre estar donde quieres estar, o hacer lo que quieres hacer. Y yo, de momento, lo tengo claro.

Paco, por su parte, le habla sobre su agencia inmobiliaria con oficinas en Denia y en Valencia. Le habla también sobre Rosa, su mujer, una chica del pueblo con quien jugaba los veranos de su infancia; se ha casado con ella hace dos años. También Paco está satisfecho con su vida, especialmente con su nivel de vida.

Julio ha encontrado a Paco bastante cambiado. Ahora ya no lleva el pelo largo, y se ha dejado barba y bigote. Además, está un poco gordo.

El carro está lleno de comida y bebida. También hay servilletas de papel, cubiertos de plástico y cosas parecidas. Pasan por una de las cajas. Les atiende una señorita muy joven, maquillada y con camisa a rayas azules y blancas. Lleva una chapa que dice: "Mercadona. Srta.: DESIRÉ". Cuando han pasado ya toda la compra, dice Paco:

- Te puedo pagar con tarjeta, ¿verdad, Desiré?

- Lo siento, señor. Sólo en efectivo.

Paco se pone serio. Saca la billetera y paga.

Entran en el aparcamiento.

señor: apelativo propio del trato formal ante gente mayor o de aspecto respetable.

hablarme de usted: muchas personas rechazan el tratamiento de «usted» porque les hace sentirse mayores o formales y prefieren tutearse (hablarse de tú).

- Pero, ¿tú has oído? ¡Me ha llamado "**señor**"! ¡Ya soy "señor"! Un día de éstos empezarán a **hablarme de usted**...

* * * * *

¡Qué suerte tener dieciocho años y ser como Paco! Porque yo, de ligón, tenía bien poco. Vamos,

no me comía una rosca: en el lenguaje de los jóvenes, no conseguía tener relaciones sexuales.

rollos: (coloquial): relaciones amorosas breves y sin compromiso.

don de gentes: facilidad para relacionarse con los demás.

de hecho: en realidad.

tía buena: (coloquialmente) chica con mucho atractivo físico.

a mis pies: rendida, sometida a mí.

que **no me comía una rosca**. Y sufría mucho, porque era un estúpido romántico: yo no quería **rollos** superficiales. Lo que yo deseaba era encontrar un amor como en las películas. ¡Películas!

Y me pareció que aquel amor llegó, y en aquella misma época. Pero desapareció después de poco tiempo. O mejor dicho, desaparecí yo, lo abandoné. Fue ella, Laura, quien me hizo envidiar a Paco y su **don de gentes**. Sobre todo porque también a Laura le gustaba Paco. Ella no lo decía, pero se le notaba. Nadie me lo dijo, pero estaba claro que a Laura le gustaba Paco.

En fin, una lástima.

Y es que Laura también era en cierto modo como Paco, sincera y afectuosa. Laura era, ante todo, dulce: en el trato, en la manera de hablar. Hablaba siempre despacio, siempre sonriendo y con la cabeza un poco de lado. Te hablaba y te miraba fijamente tras unas gafas pequeñas y redondas, con aquellos ojos negros muy abiertos y llenos de vida, aquellos ojos que tantas noches he recordado antes de dormirme.

De hecho me enamoraron sus ojos. Luego, seguí enamorándome de sus labios, de su cálida manera de hablar: de toda ella. No era Laura una **tía buena**, pero tenía cierto atractivo: no muy alta, bastante delgada y de formas sensuales, morena de pelo largo y liso.

Cuando hablaba con ella tenía la impresión de que se interesaba por mí, y pensaba yo que, al cabo de poco tiempo, si me esforzaba, la tendría completamente **a mis pies**. Pero no. Esa misma mirada suya, esa misma postura ingenuamente provocadora, esa misma voz cálida las repetía con todos, incluso para pedir un bolígrafo.

Esa misma mirada suya, esa misma postura ingenuamente provocadora, esa misma voz cálida...

A Laura le gustaba Paco, sin duda, porque con él era más dulce que con nadie. Pero no estoy muy seguro de lo contrario: ¿a Paco le gustaba Laura? Mucho, no, pero un poco yo creo que sí: hablaban con frecuencia y se sentaban juntos en clase de inglés. Y es que Laura no era muy buena con los idiomas; en cambio Paco, como estudió un año en los Estados Unidos, hablaba inglés muy bien.

Ellos se llevaban bien, y yo lo pasaba fatal, excepto en los momentos en que Laura venía a sentarse conmigo en la cafetería para pedirme un dibujo. Le encantaba verme dibujar, decía que le gustaría dibujar algún día tan bien como yo. Laura también quería estudiar Bellas Artes, como yo. Le apasionaba la pintura, pero no era muy buena como artista. Yo no se lo dije nunca, ¿cómo se lo iba a decir? No tenía mucho futuro con las artes plásticas, ni como profesora de dibujo. En cambio, su presencia a mí me inspiraba, me hacía más sensible. Si Laura estaba cerca y yo no la podía ver, sentía su presencia por aquel perfume de esencia de azahar que se ponía siempre. Era un olor que me emborrachaba de sensualidad.

* * * * *

naranjales (...) y **arrozales:** campos de cultivo de naranjas y de arroz, principales productos agrícolas de Valencia.

Naranjales a los dos lados de la autopista: a la derecha, subiendo por la ladera de la sierra; a la izquierda, hasta el mar, entre los extensos **arrozales,** verdes en esta época del año. Y viejas casas de dos y tres pisos con torres y grandes ventanas alargadas, con muchas palmeras alrededor. Pueblos blancos con iglesias de piedra y cúpulas de tejas azules. Encima de todo ello, el cielo azul intenso. Y entre el cielo y la tierra, al fondo, la línea verde oscura del Mediterráneo, que les acompaña durante casi todo el viaje.

Salen de la autopista y se acercan a Denia por una carretera junto al mar llena de apartamentos, chalés, cámpings, restaurantes y discotecas, todo del más puro estilo kitsch. Tienen que circular despacio. Los letreros de las tiendas están escritos **en varios idiomas**. Por todas partes hay coches con matrículas extranjeras.

en varios idiomas: en las zonas turísticas del litoral español, hay grandes colonias de ciudadanos extranjeros. En la Costa Blanca la mayoría son alemanes y franceses, y tienen sus propios comercios, locales de ocio e incluso medios de comunicación.

Unos minutos más tarde, ya en la parte antigua de Denia, junto al puerto deportivo, Paco aparca el coche.

- Ya hemos llegado.

Están enfrente de una casa de estilo tradicional, con la fachada azul y blanco y las ventanas de madera. Hace sonar el claxon y al momento se abre la puerta y sale una chica rubia vestida con un elegante traje negro de verano. Es Rosa, su mujer. Paco hace las presentaciones.

- Mira, Rosa, éste es Julio, mi amigo «el sueco».
- Hola, por fin te conozco. Encantada, Julio. Bueno, os informo de las novedades: ha llamado Pepe Lluch, y dice que él, Inma Blanco y Pilar Gutiérrez llegarán dentro de un rato, que han pensado venir hoy en vez de mañana, para aprovechar mejor el fin de semana.
- Ah, muy bien. Podremos empezar ya esta noche la fiesta, ¿no? —dice Paco, muy animado.
- De Inma casi no recuerdo su cara... ¡ha pasado tanto tiempo!
- Sí, hombre, era pelirroja y tenía los ojos grandes y muy verdes, y el pelo rizado... era muy habladora... y unos años mayor que nosotros.
- La llamábamos «la abuela», ¿verdad?
- «La abuela», claro, no me acordaba de eso... ¿Te

acuerdas cúanto se enfadaba cuando la llamábamos así?

- Se ponía **hecha una furia**. Una vez tiró mis apuntes por la ventana.

- Chicos —Rosa coge del brazo a Paco y a Julio—, ya son **las nueve y pico** y tenemos que empezar a hacer la cena. Vosotros preparáis una buena ensalada mientras yo hago la **tortilla de patatas**.

hecha una furia: muy enfadada.

las nueve y pico: más de las nueve.

tortilla de patata: mezcla de huevos batidos y patatas troceadas, que se cocina en aceite, muy popular en toda España.

PÁRATE UN MOMENTO

1. Han aparecido ya una serie de personajes sobre los que seguro que te has formado ya una idea. ¿Cómo crees que va a acabar la historia? ¿Qué va a pasar? Escribe en estas páginas lo que imaginas que puede suceder.

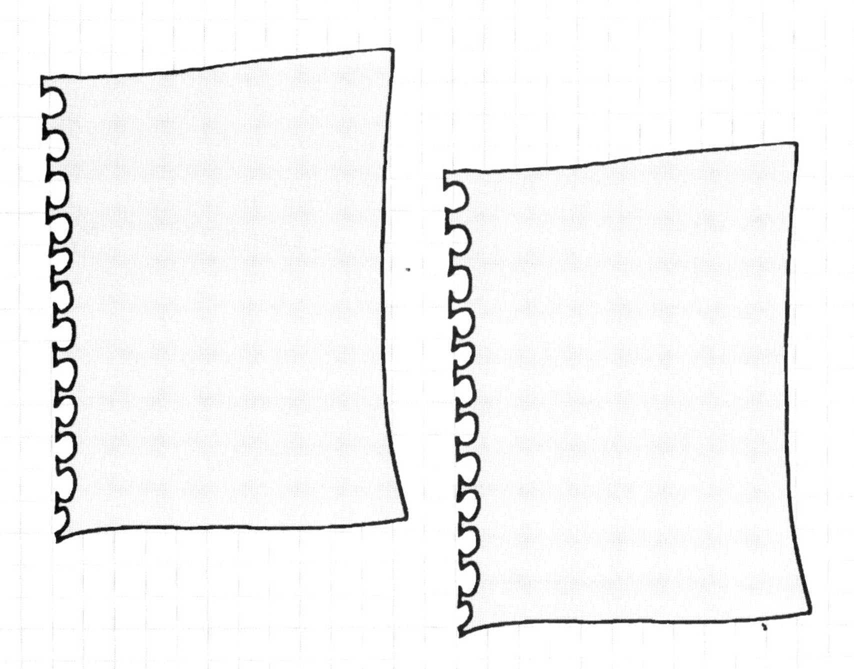

2. Como sabes, cada día es más popular el uso del correo electrónico. Imagina qué puede escribir Julio sobre los primeros momentos de su estancia a un amigo español que sigue en Suecia.

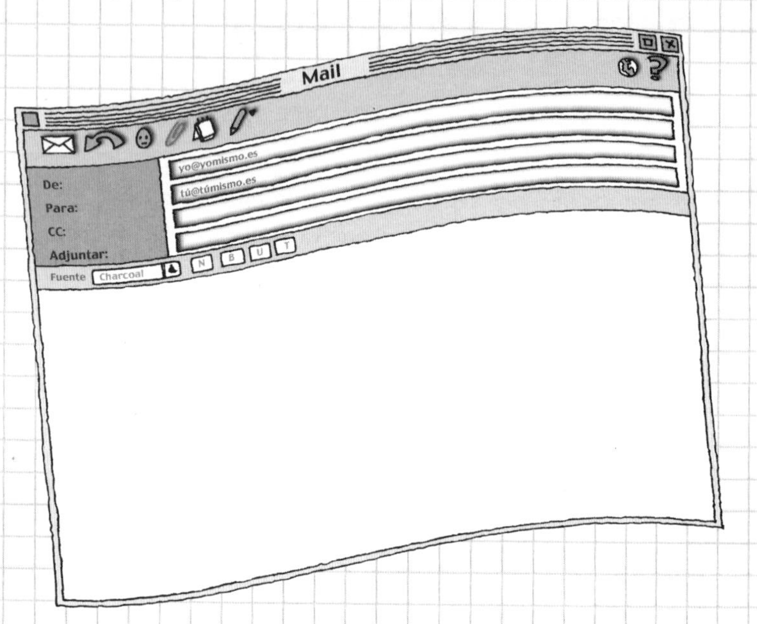

3. En el texto se habla de algunas de la experiencias que tuvieron Julio y sus amigos en la escuela secundaria. Comenta con tus compañeros alguna anécdota de aquella época de tu vida.

Fíjate bien en el uso de los tiempos verbales del pasado.

TRES

- Y entonces me dijo, amenazándome con el dedo: «Mateu, tenga cuidado, tenga mucho cuidado». Yo estaba conteniendo la risa, y no quería mirarlo, porque sabía que, si lo miraba, iba a explotar.
- Es que don Vicente no notaba que nos reíamos de él. Pero cuando lo notaba, se ponía muy serio, daba miedo.
- Se ponía muy serio y se enfadaba, sí, pero luego no hacía nada, ni nos castigaba ni nada. Era **un pedazo de pan**.

un pedazo de pan: persona incapaz de hacer daño a nadie.

- Bueno, dejadme continuar —dice Paco, interrumpido constantemente por sus antiguos compañeros y compañeras de clase—. Pues eso, sabía que si lo miraba, no iba a poder contener más la risa.
- Y lo miraste.
- ¡Claro! —Paco pincha un mejillón con el tenedor y se lo lleva a la boca—. Me dijo: «Mateu, mírame a los ojos cuando te estoy hablando». ¿Y qué podía hacer? Le miré a los ojos, aquellos ojos de rana... Y no pude más. Intenté mantener la boca cerrada, pero la risa me salió por la nariz y las orejas.
- Te pusiste rojo como un tomate.
- ¿Y qué pasó después?

Me dijo: Mateu, mírame a los ojos cuando te estoy hablando.

- Que tuve que llorarle y suplicarle para no hacer el **examen de religión** en septiembre.

examen de religión: en el moderno sistema educativo español es posible elegir entre las materias de religión o asignatura alternativa a la religión.

Paco, Rosa, Julio, Pepe, Inma y Pilar están sentados alrededor de la mesa de cristal del comedor. Han acabado de cenar y Rosa ha puesto una cesta con frutas en medio, de postre.

- Tú siempre lo solucionabas todo con buenas palabras. En eso eras un maestro, Paco.

- Y ahora también —añade Rosa—. Es muy diplomático.

- No sabes qué suerte tienes, Rosa. Supongo que Paco te ha dicho que, en la clase, todas estábamos enamoradísimas de él.

- ¡Qué exagerada eres, Pilar! —grita Paco, complacido, mientras empieza a pelar un melocotón-. Lo que pasa es que, con diecisiete años, os enamorábais **hasta** del conserje.

hasta: incluso.

- Bueno, bueno, no todas, ¿eh?, no todas —aclara Inma—. Pero, a ti ¿quién de todas nosotras te gustaba? A ver, confiesa, venga.

- A mí me gustaban todas, Inma. Sin excepción. Pero yo ya **salía** entonces con Rosa, ¡y tenía que ser fiel!, ¿no?

salir: tener relaciones sentimentales más o menos estables.

- Sí, sí —dice Rosa, con ironía—, me gustaría saber qué hacías tú en Valencia mientras yo te esperaba aquí, en el pueblo, hasta el fin de semana...

- Pásame el vino, Pepe —pide Julio—. ¡Unos tanto, y otros tan poco! ¡Qué injustas erais!

- **Hombre**, Julio, no digas eso —Pilar, un poco enfadada, se inclina hacia Julio desde la otra parte de la mesa—, porque tú también tuviste tu parte, ¿eh?

hombre: (en este contexto) expresión para iniciar una manifestación de desacuerdo.

- ¿Qué quieres decir?

Paco añade:

- ¡Venga, ahora ya no tienes que disimular!, ¿es que no sabías que la pobre Pilar estaba enferma de amor por ti?

Pilar, se sirve la segunda copa de pacharán y lanza una mirada provocativa a Julio:

- No sabes lo que te perdiste.

Y todos ríen de nuevo.

- Es verdad. Yo nunca sabía qué pasaba a mi alrededor. Pero, Pilar —Julio, divertido, le devuelve la mirada provocativa de antes—, **más vale tarde que nunca.**

más vale tarde que nunca: (refrán) todavía estamos a tiempo.

- ¿Ahora me lo dices? ¿Ahora, que estoy casada y soy madre de dos hijos? Nada, nada, Julito, lo siento. Todo tiene un momento y un lugar, y si no se aprovecha ese momento y ese lugar, luego es demasiado tarde, y nada es igual...
- Con otras palabras —la interrumpe Julio—: que tú y yo, este fin de semana, **nada de nada**...

nada de nada: absolutamente nada.

- Nada de nada —dice Pilar, con un gesto definitivo—. Además, yo no era la única, Julio. Había otras...
- ¿Otras? A ver, cuenta, cuenta...
- Pero, ¿tampoco sabes que Laura era mi rival?

A Julio la sangre, de golpe, se le ha congelado. Pilar vuelve a inclinarse hacia Julio:

- Laura intentaba siempre atraer tu atención. Pero nada. Tú, ciego, Julito.
- Eso yo no lo sabía, Pilar —dice Paco.
- Yo tampoco —dice Pepe.

Julio no sabe a dónde mirar, ni qué hacer con sus manos. Bebe un trago largo de vino.

- Julio, te has puesto rojo. ¡Mirad qué rojo se ha puesto Julio!
- Es por el vino.
- El vino, claro —se burla Pilar—. Oye, Julio, no me digas que a ti te gustaba Laura, porque te mato.
- Pues sí, Pilar, ¡lo siento! —dice Julio, recuperado, con más naturalidad-, a mí también me gustaba Laura un poco. Pero yo tampoco sabía que ella... ¡Es increíble! ¿En serio... yo... a Laura...?
- ¡Este Julio! —ríe Pepe, y le coge por el cuello entre las risas de los demás.

A las tres de la noche están muy cansados y se van a dormir. Rosa ha preparado camas para todos en diferentes habitaciones.

Julio pasa mucho tiempo sin poder dormirse. En su cabeza da vueltas una frase de Pilar: «Laura intentaba siempre atraer tu atención. Pero nada. Tú, ciego».

* * * * *

En cuanto sonaba la sirena que anunciaba los treinta minutos de descanso, de once a once y media, muchos estudiantes y algunos profesores iban a toda prisa a la cafetería a comer algo o a tomar un café: la mañana era larga y era necesario recuperar fuerzas. Algunos pedían un **bocadillo** y un refresco. La mayoría traía el bocadillo de casa, y sólo pedían algo para beber.

bocadillo: trozo de pan con cualquier alimento en su interior: queso, jamón, carne, tortilla, etc.

Aquel viernes de finales de curso en que todo ocurrió, Julio corrió a la cafetería con Alberto, su compañero de mesa en clase de historia. Alberto tomó asiento para los dos en una mesa mientras Julio pedía dos coca-colas. Ya sentados, quitaron el envoltorio de papel de aluminio a los bocadillos y empezaron a almorzar.

Cinco minutos después, el lugar estaba lleno de gente. El ventilador del techo mejoraba ligeramente la temperatura; por eso, aunque había mucha gente, hacía menos calor que en el patio, casi sin árboles.

Alberto estaba hablando a Julio de fútbol cuando Laura entró por la puerta. Dio unos pasos y se detuvo, mirando a todas partes, como buscando a alguien. Julio la miró por encima de la cabeza de Alberto, quien seguía hablando de goles y penalties. Laura vio a Julio y lo saludó con la mano, contenta de haberlo encontrado. Ella, con gestos, le preguntó si podía sentarse con ellos. Julio, inseguro, le contestó con la cabeza que sí. A Julio le pareció que estaba más guapa que nunca. Llevaba el pelo recogido en una coleta y vestía una blusa azul a rayas amarillas y unos pantalones vaqueros. Mientras ella se acercaba, él buscaba a su alrededor una silla vacía, que no había.

– Otra vez esta pesada —protestó Alberto—. No nos deja nunca almorzar en paz. Pues no sé dónde se va a sentar. Que se quede de pie, **oye**.

oye: (en este contexto) expresión que, puesta al final de una orden o mandato, sirve para reforzar su carácter imperativo.

– Hola, chicos. Que aproveche. Ah, ¿ya habéis terminado? –preguntó Laura con su voz de presentadora de programas infantiles.

– Sí, casi...

– No, yo aún no. Siéntate si quieres —propuso Julio.

Alberto, molesto con Julio, lo miró nervioso. Laura miró a derecha y a izquierda en busca de una silla.

– Bueno, yo me voy —dijo Alberto—. Tengo que hacer las fotocopias para el lunes. Acaba rápido y vienes tú también, Julio, que las fotocopias son para los dos.

– Sí, ahora mismo voy. Me bebo la coca-cola y voy.

Alberto se levantó y salió. Laura se sentó en su lugar.

– Qué **seco** es este Alberto. Se nota que **no le caigo bien.**

seco: de trato desagradable, antipático.

caer bien: apreciar.

– Es así con todas. Odia al género femenino. Es un misógino sin remedio.

– Pues no sé por qué vas con él, un tío tan antipático y tan pasado de moda.

– Yo no voy con él. Él viene conmigo, va donde yo voy.

– Bueno... Anda, Julio —Laura adoptó un tono más alegre y empezó a quitar el papel a su bocadillo—, hazme un dibujo de los tuyos, una **caricatura** de esas tan divertidas. La de don Vicente, venga, que te sale muy bien.

caricatura: retrato no realista, que exagera los rasgos.

– No, no, que luego la enseñas a todo el mundo...

– No, esta ya no, de verdad.

Julio, fingiendo un gran esfuerzo, tomó el papel del bocadillo de Laura y el lápiz que ella le tendía, y empezó a dibujar.

– No mires —le prohibió Julio, protegiendo su dibujo de los ojos de Laura—, te la enseño al final.

Laura apoyó su espalda en la silla y se quedó mirando a Julio. Julio empezó a mover el lápiz sobre el papel. Miraba a Laura a cada momento, con timidez.

– Oye, ¿qué estás dibujando?

Julio no respondió, y siguió dibujando y mirándola.

– ¡Me estás dibujando a mí! Espera... me quito las gafas...

– Demasiado tarde. Ya está.

Julio terminó enseguida y le enseñó el dibujo. Laura lo cogió, divertida. Lo miró unos segundos, admirada, mientras su expresión cambiaba y sus ojos se abrían aún más de lo normal.

– Esto no es una caricatura, Julio, es un dibujo muy realista. Precioso, Julio, ¿es para mí? —Laura tenía los ojos más negros y más brillantes que nunca.

– Claro. Pero no pienses que eres tan guapa, ¿eh? —Julio quería bromear, como hacía Paco, como hacían los que sabían tratar a las chicas—. Creo que te he dibujado demasiado bien...

Antes de terminar, Julio se dio cuenta de que Laura no había entendido su torpe broma. Se puso seria.

– O sea, que tú no me ves guapa.

– No, mujer...

– Vale, vale, muy bien. Muchas gracias.

Julio cambió de tema y siguió hablando de otras cosas, atropelladamente. Laura casi no decía nada. De pronto ella lo interrumpió.

– Tenías que ir a hacer fotocopias, ¿no?

– Sí, es verdad.

– Pues ya puedes ir. No te molesto más.

Julio estaba confuso. En realidad, él sabía que era muy fácil solucionar la situación. «Laura, estoy loco por ti»; «perdona, Laura, no sé tratarte porque te quiero»; «Laura, paso las noches pensando en ti». Así de fácil. Laura lo miraba, seria, con cara de decepción, pero Julio esperó. Abrió la boca para hablar. Estaba asustado, tenía miedo al ridículo, su garganta parecía bloqueada y sentía toda la sangre en la cabeza. Esperó unos segundos más. Se levantó, cogió su carpeta y salió, después de despedirse torpemente de Laura. Ella se quedó sentada, con las manos sobre la mesa y la mirada perdida entre las bolsas de patatas fritas y las chocolatinas de detrás de la barra.

* * * * *

bochorno: calor exagerado.

Otro día de **bochorno**, sin nubes y sin viento. En cambio, en casa de Paco y Rosa se está bien, porque tienen aire acondicionado.

- Ya baja Paco. ¡Las doce y media!

Paco aparece por la puerta de la cocina, donde Rosa, Pilar y Julio están desayunando. Inma y Pepe ya han desayunado antes y están fregando los platos de la cena de anoche. La cocina es grande y blanca, con los armarios de madera de color claro. En medio hay una mesa, también blanca.

- ¡Qué bien huele a café!

dormilón: persona a quien le gusta mucho dormir.

- Buenos días, **dormilón**. ¡Por fin!
- Ocho horas, Pepe: nos acostamos anoche a las tres y media y son ahora las doce y media. Yo necesito ocho horas. Ni siete ni nueve: ocho.
- Este tío es como un reloj.
- No lo conocéis vosotros bien... —Rosa pone una taza de café con leche frente a la única silla libre de la cocina.
- Julio, tío, ¿qué estás comiendo?
- Huevos con queso. El mejor desayuno ¿Quieres?

- ¿Huevos con queso? ¿Y no quieres un buen filete con patatas? Eso es mejor desayuno aún.
- En serio. Lo mejor es desayunar bien: unos huevos revueltos, queso, jamón; luego unos cereales con leche, o un yogur, o unas frutas.
- Y para terminar, **café, copa y puro** —añade Pepe, burlón.

café, copa y puro: el típico final de una buena comida.

- Mira, Pepe: si desayunas una comida completa, no necesitas...
- Lo que necesitamos ahora es un buen baño —interrumpe Rosa-. Es casi la una, y la piscina está esperándonos.
- ¿Piscina? —preguntan todos, sorprendidos.
- Está en la parte trasera, en el jardín. Venga, coged las toallas.
- Oye, y el jacuzzi, ¿dónde lo tenéis?

En ese momento, se oye el claxon de un coche.

- Alguien ha llegado —dice Paco—. Deben de ser Juan Carlos y su mujer, o Andrés Parra. Tenían que llegar a mediodía.

* * * * *

«Tengo que hablar con ella», pensó Julio cien veces durante todo aquel día. Pero no sabía encontrar el momento adecuado.

Después de salir de la cafetería, Julio se sentía muy mal. Lamentaba profundamente haber ofendido a la persona que más le importaba. Tenía que hablar con ella aquella tarde; si no, iba a pasar un fin de semana horrible.

Aquella tarde hubo dos clases: literatura e inglés.

Como siempre, durante la clase de inglés Laura y Paco se sentaron juntos. Eso complicaba todo, porque probablemente los dos iban a salir juntos de clase, y Julio no quería a Paco por medio.

Terminó la clase. Julio recogió rápidamente sus libros, libretas, el diccionario y los bolígrafos, y lo metió todo en su mochila. Salió al pasillo y se quedó junto a la ventana, esperando a Laura.

Empezaron a salir los demás, unos tranquilamente, conversando; otros más deprisa. Pepe y Pilar salieron juntos. Pilar vio a Julio y se despidió de él con la mano. Pero al momento se detuvo, dijo algo a Pepe y se despidieron los dos con la mano. Pilar volvió la cara hacia Julio, lo miró con una ligera sonrisa y comenzó a andar hacia él, sin dejar de mirarlo.

¡mierda!: exclamación vulgar pero de uso muy extendido y poco ofensiva. Julio manifiesta así su fastidio frente a la presencia imprevista de Pilar.

«¡**Mierda**!», pensó Julio.

– Hola, Julio. ¿A quién esperas?

– ¿Yo? A nadie.

– Y, ¿qué haces aquí, parado?

– Es que tengo que hablar con la profesora —Julio se llevó la mano a la frente, nervioso.

– Entonces sí esperas a alguien.

– Bueno, sí, a la profesora.

– Oye, te espero abajo y vamos a tomar algo, ¿vale? Me tienes que hacer un dibujo a mí también, ¿te acuerdas? Me lo has prometido.

– ¿Ahora? Bien... de acuerdo —contestó Julio, impaciente.

– Te espero, ¿eh? —Pilar se alejó despidiéndose con los dedos.

Ya no salía nadie más de clase. Julio corrió hacia el

aula. Vacía. Hizo un gesto de rabia. Salió otra vez al pasillo y miró por la ventana. Sus compañeros y los demás estudiantes salían y se dirigían hacia la puerta principal. Pero no estaba Laura ni estaba Paco. Vio a Pilar, que salía y se paraba junto a la calle. «Y ahora, ¿qué hago?»

* * * * *

En la parte trasera de la casa de Paco y Rosa hay un jardín estrecho y largo al que se sale desde el comedor. Allí hay una mesa y sillas de jardín. En medio del césped hay una pequeña piscina, y detrás unos pequeños árboles frutales y dos enormes pinos. A su sombra están Pepe, Paco y Andrés, que ha llegado, solo, hace menos de una hora. Están en el césped, sobre unas toallas.

Inma, Rosa, Pilar y Julio están en el agua.

- Yo ya tengo hambre —dice Inma, y sale del agua. Coge una toalla y empieza a secarse.
- Oye, Inma, ¿por qué no vas a la cocina y traes algo para **picar**? —dice Pepe, desde su toalla.
- ¡Qué cómodo eres! Ven a ayudarme, anda.
- Podíais traer unas cervezas. En la nevera hay también refrescos... Bueno, esperad, voy yo y os ayudo —Paco se levanta y se pone sus **chanclas**.

Al cabo de unos minutos, Julio sale del agua, se seca un poco con su toalla y entra en casa. Necesita ir al cuarto de baño. Desde allí dentro oye hablar a Paco, Pepe e Inma. Están preparando el **aperitivo** al lado, en la cocina.

Julio sale del cuarto de baño cuando oye decir a Pepe:

- Mirad, ahí llega un coche. Parece que viene aquí.

picar: comer poca cantidad de algún alimento fuera de las horas de comida.

chanclas: calzado ligero para la piscina o la playa.

aperitivo: pequeña cantidad de comida que se toma antes del almuerzo con algo de beber para abrir el apetito.

- A ver. Sí, son Juan Carlos y su mujer. ¡Qué coche tienen! Llegan un poco tarde, ¿no? Me dijeron que llegarían antes de las doce... Oye, está muy mayor Juan Carlos, ¿verdad?
- Es que le queda poco pelo.
- Bueno, creo que ahora ya estamos todos. Seguramente ya no vendrá nadie más.

Julio entra en la cocina y va hacia la ventana, donde están los tres mirando a los que llegan.

- ¿Qué pasa? ¿Quién ha venido?
- Mirad, no vienen solos... Hay alguien en el asiento trasero. ¿Quién puede ser...?
- Es Laura, ¡Laurita! ¡Qué bien! Hay alguien más a su lado, ¿no?

Julio se queda parado. Siente que le sube la sangre a la cabeza.

- Sí, hay alguien más a su lado. No veo bien...

El coche se ha detenido junto a la puerta y desde dentro Juan Carlos saluda con la mano, muy contento. Laura está hablando con la persona que está sentada a su lado en la parte trasera del coche.

* * * * *

El edificio estaba vacío. Ya no había más clases, y casi todo el mundo ya había salido.

«Todo por culpa de Pilar. Por su culpa». Julio no sabía qué hacer, llevaba veinte minutos junto a la ventana. Estaba enfadado. Enfadado con Pilar, consigo mismo. Y no le apetecía nada ir a tomar algo con esa tonta, y menos tener que hacer unos dibujos absurdos para complacerla.

Necesitaba ir al servicio un momento. Subió al último piso, donde estaban los aseos de los profesores, que no olían tan mal ni estaban tan sucios. Allí tampoco había nadie. Fue hacia la puerta del servicio de hombres. Cuando se acercaba, oyó una risa breve, reprimida, una risa que parecía falsa, que salía de la puerta de al lado, que daba a un pequeño almacén de materiales. Extrañado, se acercó un poco más. Esperó junto a la puerta, y vio que estaba entreabierta. Volvió a oír la risa, era una risa de chica, de chica joven.

Julio entró poco a poco, empujado por una gran curiosidad. No veía a nadie, estaba oscuro, pero sentía una presencia. Incluso oía algo parecido al **roce** entre dos personas. Dejó la mochila en el suelo. Otra vez esa risa, muy breve y excitada, en voz baja. Junto a su pie vio en el suelo algo. Se agachó y lo cogió. Una prenda de vestir. Una blusa azul claro a rayas amarillas.

roce: fricción, contacto físico entre dos personas.

Julio dio un paso atrás. Luego otro. Se paró y esperó. No hubo más risas, pero sí oyó hablar en voz muy baja a dos personas. Casi no los oía. Dio la vuelta y salió corriendo. Se escondió en el servicio de hombres, al lado.

«Laura. No puede ser. No es cierto... Paco, traidor...». Se llevó las manos a la cara y empezó a llorar. De pronto, recordó: «¡La mochila!». Esperó un minuto, no sabía qué hacer.

Oyó que alguien salía del servicio de al lado. Desde donde estaba vio que Laura salía deprisa, con sus libros bajo el brazo, hacia la escalera; al llegar, miró atrás y luego continuó hacia la salida.

Julio se asomó a la ventana del pasillo. Vio salir a Laura del edificio a pasos rápidos e inseguros. Había gente aún en el patio. Pilar continuaba esperando. Estaba hablando con alguien. Con Paco. «¡Paco! Entonces...»

Dio la vuelta, decidido. Un fuerte impulsó le empujó hacia el almacén. Vio su mochila donde la dejó antes. Levantó los ojos y vio a un hombre alto, con gafas, que salía de la oscuridad.

– ¿E... Enrique?

Julio se quedó **de piedra**.

de piedra: sin capacidad para reaccionar, impresionado.

– Julio, espera, tenemos que hablar –Enrique intentaba mostrarse tranquilo, pero las manos le temblaban mientras se limpiaba las gafas–. Julio, por favor, no digas nada a nadie...

– No, no voy a decir nada...

Salió corriendo.

– ¡Espera, Julio! ¡Espera, te lo explico todo! ¡Julio!

* * * * *

- Así que ésta es tu hija, Laura —dice Paco—. Se parece mucho a ti.

Han entrado en el recibidor de la casa Juan Carlos y su mujer, María José. Detrás aparecen Laura y una niña de pelo negro oscuro, y alta, casi tan alta como Laura, de quien no se separa. Empieza un animado intercambio de besos. Laura mira al fondo del recibidor y ve a Julio. Se miran un segundo, pero Laura sigue saludando a los demás.

Laura lleva el pelo muy corto, **a lo chico**. Lleva un vestido ancho y largo de verano, color crema.

a lo chico: como normalmente llevan los chicos el pelo.

Julio coge fuerzas y se acerca a Laura.

- Hola, Laura —dice Julio, y se dan dos besos—. ¿Cómo te va?

- Muy bien. ¿Qué tal tú?

- Bien también. Oye, estás igual, no has cambiado nada. Bueno, el pelo más corto, y sin gafas. Te sienta muy bien.

Laura calla un momento y mira a Julio, con la cabeza un poco de lado y sus enormes ojos negros de siempre.

- Llevo lentillas. Tú tampoco has cambiado mucho. Sí, el pelo un poco más largo. Y esa coleta, ¡qué moderno!

Julio calla. No sabe qué más decir. Laura tampoco.

- Oye, no sabía que... esta niña... ¿Es tuya, de verdad?

- Sí. Se llama Azahar —Laura coge a su hija de la cintura y mira de nuevo a Julio, complacida—. Mira, Azahar, éste es Julio, un buen amigo de mamá de hace muchos años.

- Hola, Azahar —dice Julio, dirigiéndose a la niña—. ¿Sabes que tienes un nombre precioso?

- Gracias.

- Es guapa, ¿verdad? —dice Laura.

- Sí. No puede negar que es hija tuya.

Los demás empiezan a volver al jardín.

- Y tu marido, ¿no ha venido?

Laura, sin dejar de sonreír, mira al suelo un momento. Vuelve a mirar a Julio.

- Nunca me he casado, Julio.

De nuevo otra pausa. Laura continúa:

- Hace nueve años que vivo sola con mi hija.

Julio no sabe cómo reaccionar. Laura no deja de mirarlo, con la misma mirada sincera y dulce de cuando tenía diecisiete años.

- Tienes que contarme muchas cosas, Julio —dice Laura, cruzando los brazos—. ¿Qué haces, últimamente?

- Vivo en Suecia.

- ¿En Suecia? ¿Y qué haces tú en Suecia?

Julio se queda mirándola un momento.

- Venga, vamos adentro —dice de pronto Julio, alegre, cogiéndola del brazo—. Tengo muchísimas cosas que contarte.

Julio, Laura y Azahar se reúnen con el resto de los amigos, junto a la piscina. Sobre la mesa de plástico hay cacahuetes, aceitunas, patatas fritas y refrescos para todos.

EXPLOTACIÓN DIDÁCTICA

EJERCICIOS PARA EL ALUMNO

Lecturas de Español es una colección de historias breves especialmente pensadas para los estudiantes de español como lengua extranjera. Los cuentos han sido escritos, a pesar de las limitaciones e inconvenientes que ello pueda suponer, y de las que somos plenamente conscientes, teniendo en cuenta, básica pero no únicamente, una progresión gramático-funcional secuenciada en seis etapas, de las cuales las dos primeras corresponderían a un nivel inicial de aprendizaje, las dos segundas a un nivel intermedio, y las dos últimas al nivel superior. Como resultado de la mencionada secuenciación, el estudiante puede tener contacto con textos escritos «complejos» ya desde los primeros momentos del aprendizaje y puede hacer un seguimiento más puntual de sus progresos.

Las aportaciones didácticas de ***Lecturas de Español*** son fundamentalmente dos:

– notas léxicas y culturales al margen, que permiten al alumno acceder, de forma inmediata, a la información necesaria para una comprensión más exacta del texto.

– explotaciones didácticas amplias y variadas que no se limiten a un aprovechamiento meramente instrumental del texto, sino que vayan más allá de los clásicos ejercicios de «comprensión lectora», y que permitan ejercitar tanto otras destrezas como también cuestiones puntuales de grámatica y léxico. El tipo de ejercicios que aparecen en las explotaciones permite asimismo llevar este material al aula, ampliando, de esa manera, el número de materiales complementarios que el profesor puede incorporar a sus clases.

Con respecto a los autores, hemos querido contar con narradores capaces de elaborar historias atractivas, pero que además sean –condición casi indispensable– expertos profesores de E/LE, para que estén más sensibilizados con el tipo de problemas con que se enfrenta un estudiante de español como lengua extranjera.

Las narraciones, que no se inscriben dentro de un mismo «género literario», nunca son adaptaciones de obras, sino originales creados *ex profeso* para el fin que persiguen, y en ellas se ha intentado conjugar tanto amenidad como valor didáctico, todo ello teniendo siempre presente al lector, una persona adulta con intereses variados.

Estas narraciones, pues, son un buen complemento de cualquier método de español, pero lo son particularmente del de nuestras compañeras y amigas Selena Millares y Aurora Centellas, en esta misma editorial, y al que, en ocasiones, se hará referencia, de forma únicamente orientativa, en explotaciones didácticas.

PRIMERA PARTE
Comprensión lectora

I. Marca la respuesta correcta.

1. Julio vive en Suecia desde hace tres años.
   ❑ Verdadero ❑ Falso
2. Julio tiene un hermano que se llama Ernesto.
   ❑ Verdadero ❑ Falso
3. El narrador de la historia "está" en Valencia.
   ❑ Verdadero ❑ Falso
4. Enrique era el antiguo profesor de dibujo de Julio.
   ❑ Verdadero ❑ Falso
5. Denia, como es un pueblo, es más barato que Valencia.
   ❑ Verdadero ❑ Falso
6. Julio no sabía que en la época de la escuela les gustaba a Pilar y a Laura.
   ❑ Verdadero ❑ Falso

II. A continuación tienes una serie de frases. Marca aquéllas que de alguna manera recojan el sentido de lo que se ha dicho en el texto.

1. Julio estuvo bebiendo la noche antes de salir de Estocolmo hacia Valencia.
2. Julio está pensando en volver para trabajar en la clínica de su padre.
3. Julio llama por teléfono a su amigo Paco Mateu una semana después de llegar a Valencia.
4. En la época del Instituto entre las once y las once y media de la mañana había una pausa.
5. Julio lleva el pelo recogido en una coleta, igual que en la época del Instituto.
6. Laura llevaba gafas en el Instituto y ahora lleva lentillas.
7. Laura se casó y tuvo una hija que se llama Azahar.

III. A continuación tienes dos imágenes de Laura y dos imágenes de Julio. Teniendo en cuenta lo que se dice en el texto, señala cuáles corresponden a la época del Instituto y cuáles a la actualidad.

IV. **El autor del libro ha tenido algunos problemas con su ordenador y las notas socioculturales se le han desordenado. Afortunadamente, el libro ya está publicado y tú has podido leerlas correctamente, por lo que te será fácil ayudarle a ordenarlas por temas:**

Nombres propios

1. Denia
2. Mercadona
3. Turia
4. Valencia

a. río que atraviesa la ciudad de Valencia. En su cauce, hoy sin agua, hay parques, instalaciones deportivas y de ocio, el Palacio de la Música y la Ciudad de las Artes y las Ciencias.
b. ciudad de la costa mediterránea, tercera de España por su población.
c. principal cadena valenciana de supermercados de alimentación y productos para la casa.
d. pequeña localidad turística de la Costa Blanca, en la provincia de Alicante.

Sistema de estudios

5. C.O.U.
6. Bachillerato
7. Selectividad
8. Instituto

e. es el nombre que reciben los centros educativos de enseñanza secundaria.
f. en el antiguo sistema educativo, es el ciclo de tres años de la enseñanza secundaria, junto al C.O.U. En el nuevo sistema, es el segundo y último ciclo, de dos años, de enseñanza secundaria.
g. en el antiguo sistema educativo, se realizaba después del bachillerato y era obligatorio, junto con la selectividad, para poder acceder a la universidad.
h. Examen general después de la enseñanza secundaria, obligatorio para acceder a los estudios superiores.

Cocina, bebida

9. Pacharán

10. Sangría

11. Aperitivo

12. Tortilla de patatas

13. Bocadillo

14. Paella

15. Berberechos y mejillones

i. Plato típico valenciano a base de arroz, y uno de los más populares de la gastronomía española. Se cocina en un recipiente ancho y plano, y presenta dos variedades principales: *de monte*, con pollo, conejo, judías blancas y verdes (aunque hay infinitas variedades), *marinera*, con marisco. También existe una combinación de las dos variedades.

j. Trozo de pan con cualquier alimento en su interior: queso, jamón, carne, tortilla, etc.

k. Licor elaborado a partir de la endrina. Aunque es de origen navarro, se bebe en toda España.

l. Bebida refrescante con vino tinto, limonada, trozos de frutas y azúcar.

ll. Moluscos pequeños que se suelen vender frescos o en lata. Son muy apreciados como aperitivo antes de las comidas.

m. Mezcla de huevos batidos y patatas troceadas, que se cocina en aceite, muy popular en toda España.

n Pequeña cantidad de comida que se toma antes del almuerzo con algo de beber para abrir el apetito.

Palabras varias

16. Canción

17. Bochorno

18. Ligón (fem. ligona)

19. Roce

20. Soso

21. Chanclas

ñ. (Aplicado al carácter de una persona) aburrido y sin gracia.

o. En el lenguaje de los jóvenes, quien tiene facilidad para establecer relaciones chico-chica, no necesariamente sexuales.

p. Calzado ligero para la piscina o la playa.

q. Asunto, historia que siempre se repite y provoca cansancio.

r. Calor exagerado.

s. Fricción, contacto físico entre dos personas.

SEGUNDA PARTE

1. A continuación tienes una serie de **marcadores de tiempo** y una serie de *verbos en un tiempo del pasado*, que han aparecido a lo largo del texto. Fíjate bien en las formas:

a. Julio Vidal *ha llegado* a Valencia **hace menos de una hora.**
b. **Esta mañana** *se ha levantado* a las seis y media.
c. **Hace diez años** *renunció* a los estudios.
d. **Una vez** *tiró* mis apuntes por la ventana.

1.1. ¿De qué tiempos verbales se trata?

....

1.2. ¿Aquí tienes una lista de marcadores de tiempo, relaciónalos con uno u otro tiempo.

a. Hace 20 años
b. El mes pasado
c. Esta semana
d. Estos últimos días
e. Ayer
f. Hace una semana
g. Esta tarde
h. Hoy
i. Este año
j. Durante este siglo
k. Aún/Todavía no

1. Pretérito perfecto de indicativo

2. Pretérito indefinido de indicativo

1.3. A continuación tienes una serie de frases en las que aparece, entre paréntesis, el verbo en infinitivo. Coloca la forma correcta del verbo.

a. Esta tarde .... (ir) a casa de tus padres, pero no estaban. Mañana volveré.

b. Ayer me .... (llamar) por teléfono para ofrecerme un trabajo, pero creo que les voy a decir que no me interesa. Pagan muy poco.

c. Durante este siglo el hombre .... (inventar) muchos objetos de uso cotidiano y por eso la vida resulta mucho más cómoda que hace 100 años.

d. No creo que podamos ver la película porque hoy no .... (salir) y no .... (poder) comprar las entradas, pero te prometo que mañana las compro.

e. Hace veinte años me .... (comprar) una bicicleta y este año la .... (tener) que "jubilar". Hoy quiero comprarme una nueva, pero no sé si tendré bastante dinero...

f. Mis padres .... (tener) que trabajar tanto estos últimos días, que no sé cómo no están destrozados.

g. El mes pasado, el índice de paro .... (bajar) siete décimas.

h. Yo también .... (ir) a Londres hace una semana, pero no recuerdo el precio del billete de avión.

i. Tu padre te .... (llamar) hace una semana y tú aún no le .... (llamar) para decirle cuándo irás con él al hospital.

2. ¿Te gustan las sopas de letras? Aquí tienes una en la que se han escondido 7 palabras relacionadas con el mundo de la escuela secundaria. Encuéntralas.

ASIGNATURA • RECUPERACIÓN • TUTOR • SUSPENSO • EXAMEN • INSTITUTO • PROFESOR

P	O	T	R	A	S	I	G	N	A	T	U	R	A	D
I	P	U	D	E	R	S	A	L	G	A	D	E	R	O
Y	J	T	R	E	C	U	P	E	R	A	C	I	O	N
J	B	O	Y	I	P	L	J	N	V	P	U	O	S	E
U	Y	R	W	R	T	I	O	D	R	J	K	M	B	C
I	N	S	T	I	T	U	T	O	P	O	L	R	I	D
O	L	E	O	G	I	N	F	S	O	L	O	J	I	E
P	I	J	U	Y	T	E	E	R	G	S	A	Z	A	S
P	S	U	S	P	S	E	S	M	P	O	I	E	R	U
W	R	S	A	O	I	D	E	R	A	I	O	F	E	S
E	P	O	R	E	R	A	D	E	I	X	O	V	I	P
R	A	E	R	T	D	E	R	F	E	V	E	R	A	E
T	E	R	T	F	E	S	A	M	O	P	I	L	U	N
Y	P	O	I	F	E	R	V	O	R	T	S	E	I	S
O	D	I	O	S	O	P	O	R	F	A	R	I	A	O

3. En la historia que acabas de leer aparecen varias veces los verbos IR y VENIR. Fíjate en las frases que tienes a continuación e intenta explicar cómo funcionan ambos verbos.

1. – Me han dicho que tú también **vienes** al cine esta tarde. ¡Qué bien!, ya verás como nos lo pasamos las mar de bien.
   – Sí, es verdad, Sara me ha convencido para que **vaya** con vosotros, y la verdad es que me alegro...
2. – No, mañana no puedo quedar contigo. **Voy** al cine con Marisa.
3. (en casa de Pablo)
   No te entiendo Pablo. **Vengo** a tu casa, te traigo los libros que me prestaste y tú casi ni me hablas...
4. (hablando de la escena anterior)
   A Pablo no hay quién lo entienda. Ayer **fui** a su casa con los libros que me había prestado y por poco ni me dirige la palabra...
5. (en la calle)
   – ¿Adónde **vas** Maila?
   – Al teatro, ¿**vienes**?
6. (en el trabajo)
   – Hoy no **ha venido** nadie a ver al Jefe, ¡qué raro!

3.1. A continuación tienes un esquema, sitúa en cada una de las casillas la frase que aparece en los ejemplos que tienes más arriba, según su significado.

INVITACIÓN	ACCIÓN DIRIGIDA HACIA EL LUGAR EN EL QUE SE ENCUENTRA LA PERSONA QUE HABLA	ACCIÓN DIRIGIDA HACIA UN LUGAR EN EL QUE NO SE ENCUENTRA LA PERSONA QUE HABLA

4. En el texto han aparecido algunas expresiones coloquiales, frases hechas. Relaciónalas con los significados que figuran en la columna de la derecha.

1. Meterle algo en la cabeza a alguien.	a. Ser algo una cosa negativa, una pena.
	b. Mejor que nada.
2. No comerse alguien una rosca.	c. No tener éxito con las personas del sexo opuesto, especialmente en la esfera sexual.
3. Don de gentes.	
4. Quedarse alguien de piedra.	d. Convencer a alguien de algo tras mucho insistir.
5. No caerle bien alguien a alguien.	e. Ser una persona muy buena.
6. Ser algo un crimen.	f. Facilidad para relacionarse con las personas.
7. Ser alguien un trozo de pan.	g. No tener capacidad de reacción ante algo, estar impresionado (generalmente por algo negativo).
8. Menos da una piedra.	h. Provocar antipatía.

5. Aquí tienes uno de los fragmentos del libro en los que el narrador se sitúa en la época del Insituto. Los tiempos verbales elegidos tienen en cuenta precisamente ese hecho. Imagina ahora que alguien, muy indiscreto, ha visto todo lo que aparece narrado y que se lo escribe a un amigo por correo electrónico, apenas media hora después de que haya ocurrido. ¿Qué pasaría con los tiempos verbales? Transforma el texto de manera que pueda ser parte de ese correo electrónico.

Julio necesitaba ir al servicio un momento. Subió al último piso, donde estaban los aseos de los profesores, que no olían tan mal ni estaban tan sucios. Allí tampoco había nadie. Fue hacia la puerta del servicio de hombres. Cuando se acercaba, oyó una risa breve, reprimida, una risa que parecía falsa, que salía de la puerta de al lado, que daba a un pequeño almacén de materiales. Extrañado, se acercó un poco más. Esperó junto a la puerta, y vio que estaba entreabierta. Volvió a oír la risa, era una risa de chica, de chica joven.

Julio entró poco a poco, empujado por una gran curiosidad. No veía a nadie, estaba oscuro, pero sentía una presencia. Incluso oía algo parecido al roce entre dos personas. Dejó la mochila en el suelo. Otra vez esa risa, muy breve y excitada, en voz baja. Junto a su pie vio en el suelo algo. Se agachó y lo cogió. Una prenda de vestir. Una blusa azul claro a rayas amarillas.

Julio dio un paso atrás. Luego otro. Se paró y esperó. No hubo más risas, pero sí oyó hablar en voz muy baja a dos personas. Casi no los oía. Dio la vuelta y salió corriendo. Se escondió en el servicio de hombres, al lado.

"Laura. No puede ser. No es cierto... Paco, traidor...". Se llevó las manos a la cara y empezó a llorar. De pronto, recordó: "¡la mochila!". Esperó un minuto, no sabía qué hacer.

Oyó que alguien salía del servicio de al lado. Desde donde estaba, vio que Laura salía deprisa, con sus libros bajo el brazo, hacia la escalera; al llegar, miró atrás y luego continuó hacia la salida.

Julio se asomó a la ventana del pasillo. Vio salir a Laura del edificio a pasos rápidos e inseguros. Había gente aún en el patio. Pilar continuaba esperando. Estaba hablando con alguien. Con Paco. "¡Paco! Entonces..."

Dio la vuelta, decidido. Un fuerte impulsó le empujó hacia el almacén. Vio su mochila donde la dejó antes. Levantó los ojos y vio a un hombre alto, con gafas que salía de la oscuridad.

– ¿E... Enrique?

Julio se quedó de piedra.

– Julio, espera, tenemos que hablar –Enrique intentaba mostrarse tranquilo, pero las manos le temblaban mientras se limpiaba las gafas-. Julio, por favor, no digas nada a nadie...
– No, no voy a decir nada...

Salió corriendo.

– ¡Espera, Julio! ¡Espera, te lo explico todo! ¡Julio!

¿Has visto lo que sucede con el pretérito indefinido? ¿Cómo puedes explicarlo?

....

....

TERCERA PARTE
Expresión escrita

I. Cuando Julio ve a Laura, compara su aspecto físico con el que tenía en la época del Instituto.

"(...) no has cambiado nada. Bueno, el pelo más corto, y sin gafas." Teniendo en cuenta que al principio de la historia se dice que Julio tiene algunos buenos amigos en Estocolmo, imagina que le escribe a uno de ellos un correo electrónico explicándole los cambios "físicos" de todos aquellos personajes sobre los que se dice algo en ese aspecto.

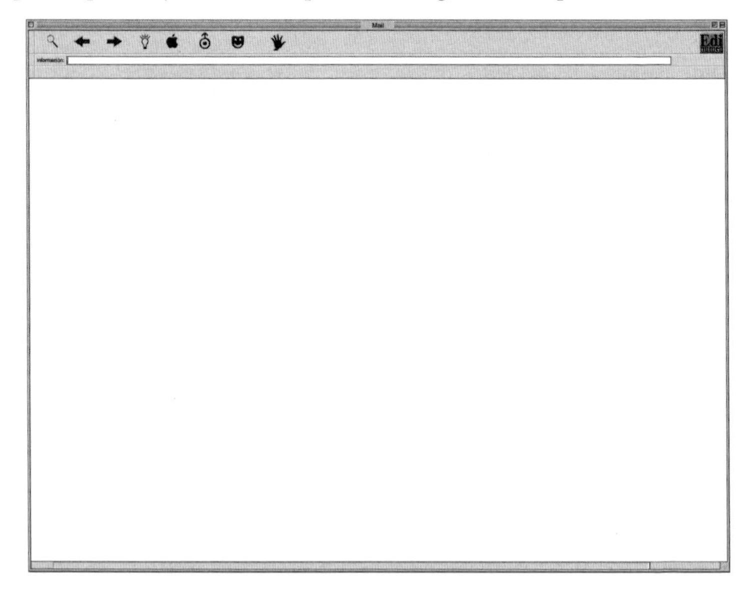

II. Cuando uno está de vacaciones, suele escribir tarjetas postales, por ejemplo a los compañeros de trabajo. No siempre tienen un contenido muy profundo, y a menudo tienen un carácter divertido. Julio ha decidido escribir algunas a algunos de sus compañeros y a su jefe...

III. Los padres de Julio parece que insisten siempre que pueden para que Julio regrese a Valencia. Escribe la carta que podrían escribir unos padres intentando convencer a un hijo de que vuelva a su ciudad natal, intenta utilizar todos aquellos argumentos que crees que podrían aparecer en una carta de ese tipo.

Valencia, ...

Querido hijo:

....

....

....

....

....

....

IV. La historia parece hacer suponer que el padre de Azahar es Enrique, el profesor de dibujo que tanta influencia había tenido en Julio. En la historia, parece que Julio no le da a Enrique la posibilidad de explicar lo que ha sucedido. Imagina la carta que podría haber escrito Enrique a Julio.

....

¡Hola Julio!, ¿cómo estás?

....

....

....

....

....

....

¿Cuál podría haber sido la respuesta de Julio?

....

Querido Enrique:

....

....

....

....

....

....

V. En la historia aparecen muchos recuerdos de la época del Instituto. Imagina que Julio llevaba un diario en aquella época y que escribía en él los detalles más importantes de lo que le iba sucediendo. Intenta transformar lo que dice el narrador en el texto de aquel diario.

CUARTA PARTE *Expresión oral*

I. Julio está viviendo en Estocolmo. Su familia y sus amigos insisten en que lo que tiene que hacer es volver a Valencia. ¿Qué le aconsejarías a Julio? ¿Por qué? Coméntalo con tus compañeros.

II. En un momento de su vida, Julio decide sacrificarlo todo (familia, amigos, "amor", etc.) por aquello que le gusta en la vida: la pintura, el diseño. ¿Qué crees que es más importante, la vida profesional o la vida privada? ¿Qué elegirías, si tuvieras que anteponer una a otra? ¿Por qué? Coméntalo con tus compañeros.

III. Laura, la madre de Azahar, es una madre soltera. Comenta con tus compañeros las ventajas e inconvenientes de tener que criar a un hijo/una hija en solitario. ¿Creéis que para el niño tiene importancia el no conocer a uno de sus padres?

IV. Aunque es un tema muy delicado, parece que entre Enrique, el profesor, y Laura, la estudiante, hubo algo más que una relación profesor-alumna. Laura tenía entonces unos 18 años (edad a la que se suele estudiar C.O.U.) A continuación, tienes una serie de afirmaciones, da tu opinión sobre ellas y coméntalas con tus compañeros.

- *Las relaciones sentimentales entre profesores y alumnas deberían estar penalizadas por la ley, ya que son fruto de un abuso de poder por parte de los profesores.*

- *Julio se siente traicionado por Enrique, en el que confiaba, y eso es algo que un profesor nunca se debería permitir.*

- *Una persona mayor de edad es libre de hacer con sus sentimientos lo que quiera, y nadie puede inmiscuirse.*

V. Compara con tus compañeros lo que tú creías que iba a suceder y cómo iba a acabar la historia con lo que ha sucedido y con el final real. ¿Te ha sorprendido? ¿Por qué? ¿Te parece mejor tu final que el que propone el libro? Comentad vuestras versiones.

SOLUCIONES

Antes de empezar a leer

1. **Nombres mujer:** Rosa, Violeta, Margarita, Azucena.

Flores: Rosa, Azahar, Lirio, Violeta, Margarita, Clavel, Amapola, Tulipán, Jazmín, Lila, Azucena, Magnolia.

Objetos de uso cotidiano Clavo, Magnetofón, Libro, Bayeta.

Árboles: Pino, Naranjo.

2. 1. c; 2. a; 3. d; 4. b.

Comprensión lectora

I.	1. Falso	2. Verdadero	3. Verdadero
	4. Verdadero	5. Falso	6. Verdadero
II.	1, 4, 6		
III.	**Laura**	**a.** Antes	**b.** Después
	Julio	**a.** Después	**b.** Antes

IV. **1.** d; **2.** c; **3.** a; **4.** b; **5.** g; **6.** f; **7.** h; **8.** e; **9.** k; **10.** l; **11.** n; **12.** m; **13.** j; **14.** i; **15.** ll; **16.** q; **17.** r; **18.** o; **19.** s; **20.** ñ; **21.** p

Segunda parte

1.1. ha llegado: Pretérito perfecto de indicativo
se ha levantado: Pretérito perfecto de indicativo
renunció: Pretérito indefinido de indicativo
tiró: Pretérito indefinido de indicativo

1.2. 1. C, D, G, H, I, J, K
2. A, B, E, F

1.3. **A.** he ido
B. llamaron
C. ha inventado
D. he salido / he podido
E. compré/compraron/compraste; he tenido
F. han tenido
G. bajó
H. fui
I. llamó / has llamado

2.

P	O	T	R	A	S	I	G	N	A	T	U	R	A	D
I	P	U	D	E	R	S	A	L	G	A	D	E	R	O
Y	J	T	R	E	C	U	P	E	R	A	C	I	O	N
J	B	O	Y	I	P	L	J	N	V	P	U	O	S	E
U	Y	R	W	R	T	I	O	D	R	J	K	M	B	C
I	N	S	T	I	T	U	T	O	P	O	L	R	I	D
O	L	E	O	G	I	N	F	S	O	L	O	J	I	E
P	I	J	U	Y	T	E	E	R	G	S	A	Z	A	S
P	S	U	S	P	S	E	S	M	P	O	I	E	R	U
W	R	S	A	O	I	D	E	R	A	I	O	F	E	S
E	P	O	R	E	R	A	D	E	I	X	O	V	I	P
R	A	E	R	T	D	E	R	F	E	V	E	R	A	E
T	E	R	T	F	E	S	A	M	O	P	I	L	U	N
Y	P	O	I	F	E	R	V	O	R	T	S	E	I	S
O	D	I	O	S	O	P	O	R	F	A	R	I	A	O

3.1.

INVITACIÓN	ACCIÓN DIRIGIDA HACIA EL LUGAR EN EL QUE SE ENCUENTRA LA PERSONA QUE HABLA	ACCIÓN DIRIGIDA HACIA UN LUGAR EN EL QUE NO SE ENCUENTRA LA PERSONA QUE HABLA
vienes al cine	**vengo** a tu casa	**vaya** con nosotros
Al teatro, **¿vienes?**	Hoy no **ha venido** nadie a	**voy** al cine
	ver al Jefe	**fui** a su casa
		¿adónde **vas** Maila?

4.

1. Meterle algo en la cabeza a alguien.	**d.** Convencer a alguien de algo tras mucho insistir.
2. No comerse alguien una rosca.	**c.** No tener éxito con las personas del sexo opuesto, especialmente en la esfera sexual.
3. Don de gentes.	**f.** Facilidad para relacionarse con las personas.
4. Quedarse alguien de piedra.	**g.** No tener capacidad de reacción ante algo, estar impresionado (generalmente por algo negativo).
5. No caerle bien alguien a alguien.	**h.** Provocar antipatía.
6. Ser algo un crimen.	**a.** Ser algo una cosa negativa, una pena.
7. Ser alguien un trozo de pan.	**e.** Ser una persona muy buena.
8. Menos da una piedra.	**b.** Mejor que nada.

TÍTULOS PUBLICADOS

1. NIVEL ELEMENTAL - I : *AMNESIA*
2. NIVEL INTERMEDIO - I : *MUERTE ENTRE MUÑECOS*
3. NIVEL SUPERIOR - I : *LOS LABIOS DE BÁRBARA*
4. NIVEL ELEMENTAL - II : *PAISAJE DE OTOÑO*
5. NIVEL INTERMEDIO - II : *MEMORIAS DE SEPTIEMBRE*
6. NIVEL SUPERIOR - II : *UNA MÚSICA TAN TRISTE*
7. NIVEL ELEMENTAL - II : *EL ASCENSOR*
8. NIVEL INTERMEDIO - II : *LA BIBLIOTECA*
9. NIVEL SUPERIOR - I : *EL ENCUENTRO*
10. NIVEL ELEMENTAL - I : *HISTORIA DE UNA DISTANCIA*
11. NIVEL INTERMEDIO - I : *AZAHAR*
12. NIVEL SUPERIOR - I : *LA CUCARACHA*

Trevor
Innes

Finding Your Selves

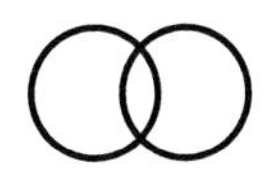

Survivors' Press
Survivors' Poetry Mentoring Series

There's a crack, a crack in everything.
That's how the light gets in. Leonard Cohen

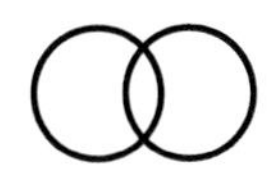

Survivors' Press
Survivors' Poetry Mentoring Series

First published in 2011
by Survivors' Press
Studio 11
Bickerton House
25 – 27 Bickerton Road
London N19 5JT
www.survivorspoetry.org
®Charity No. 1040177

This book is published with the financial assistance of the Esmée Fairbairn Foundation and Arts Council England

Designed and typeset in serif font by Blanche Donnery for Survivors' Press
Printed and bound in England by One Digital, Brighton.

Edited by Peter Street © 2011

ISBN 978-1-874595-36-6
1-874595-36-4

A CIP record for this book is available
from the British Library

Dedication: To Pat, my rescuer and home of love.

Acknowledgments

This collection carries linked themes of growing political awareness (of the damage ThatcherCameron Tories and the Neo-Cons can wreak on our world) and of personal survival after despair and mental health trauma. The chronological structure is meant to allow the political and personal stories to intertwine; at the heart and middle is a recent prose-poem sequence 'Proverbs For Finding Your Selves' which looks backwards and forwards. I would like to thank my mentor, Peter Street, for all his help in sharpening the poems, removing some wordiness and helping me to see how poems (even poems that aren't poems) work. I would also like to thank Roy Birch of 'Survivors Poetry' for his encouragement and for including me in the Mentoring Scheme.

Some of these poems have appeared in magazines, anthologies and elsewhere.

Magazines: *Bradford Poetry Quarterly, Fire, Lateral Moves, Limestone, Moonstone, Other Poetry, Poetry Wales, raw edge, The Rialto.*
Anthologies: *New Poetry* 6, Arts Council/Hutchinson, 1980. *Poems From A Small Room*, Cestrian Press, 1996. *Come Comfort Me With Apples,* Hereford Poetry Group/ Bulmers, 1998. *Lodestones*, Border Poets/Five Seasons Press, 2001. *More Voices Of Herefordshire*, More Voices Of Herefordshire, 2003. *A Brush With Words*, Border Poets/Royal Academy, 2005.

Collection: *The Absent Lord*, Fighting Cocks Press, 1989.
CD: *Poetry On Record: The Loggerheads Experience*, Anglo-Welsh Poetry Society, 1997.

Moonlit Apples won first prize in The Orchard Poetry Competition, Hereford Poetry Group, 1997. *Bond Adds Up The Score* won first prize in The Hereford Poetry Competition, 1998.

Contents

Foreword

Trevor Innes: There is something quite refreshing about the poetry of Trevor Innes. OK, it may not be to everyone's taste because there is a traditional feel to it. There are long lines and you need to sit down and take your time with his work. There is almost a 1930s style, with a touch of Eliot thrown in. No, he has not gone for the fashion of gimmicks or what he thinks people will like. He has been true to himself: he has looked into his heart and written what he feels. That has to be admired.

Trevor Innes has a history of working in education which I feel has been of great benefit to him as a writer. I think this has somehow kept him open to suggestions; because of this he was a pleasure to work with. Yes, he admires Eliot and Pound but he was also willing to look at my suggestions about the American poets: Robert Creeley because of the way Creeley wrote in an almost text style. I thought this might help Trevor to tighten up his own poetry. Charles Causley was a second choice which I thought would help with the rhythms, rhymes and honesty of his own poetry and the way he is able to open up his emotions to the world (Song of The Dying Gunner.)

Trevor Innes may not be everyone's cup of tea but he is certainly worth reading and should be read. I feel I gained a lot from working with Trevor and I hope it was the same for him.

Peter Street

Phase One: So Was There No Alternative? ('80s)

Currents From The Sixties

I wanna hold your hand so come together with me
always led beyond places and times by what they offer

through library books, the black-and-white novelty of television adverts
through school debates, through Odysseys in Cinerama at the perfumed
Odeon

from Jehovah, sir, Headmaster who hammered home what's rich and right
through glimmerings of white goddesses (It is forgiven. None does offend)

beating your pulse to Luxembourg and records bought from paper rounds
until the Gates were open, the whole world dancing in the streets

all you really need is love, you'll never get to heaven
in a kiss-me-quick hat and a fisherman's sweater

making dreams of girls come true, in fumbles, clumsy crushes
black hair beatling forwards on the Pleasure Beach's Ghost Train

safe beneath spires, in the self's liberty, imagine, reaching to the moon
high on those hopes the time afforded – love, flowers, peace, man

with the telly news continuous in every room's corner
(a place to be happy in)   ticking off the years

that long main street you started from, a ghost town, love-fantasies,
Jerusalem you visioned, can never have, can never leave

Lecture On The Second Elizabethan World Picture

In this country there is divine order.
They sell us that. On the whole we don't kill
or steal or sabotage gas and water.
To continue the play we each must fill
roles and do our duty – like sun in sky,
lions on plains, angels in their chimed spheres,
the whole caboodle. Haloed, God's viceroy
looks down steel-eyed in rows of blue posters.
Her dispensation makes the system work.
Strikers and soldiers. The lady sips water.
"The smallest disloyalty", groans her talk
"would unleash the forces of disorder".

On "golden blood", I doze, "old lies, sedition",
then sign outside the CND petition.

The Crack-Up And Other Stories

Take this girl, from the north country.
So deep and methodical! Tight-lipped,
she always did more than she was asked to,
the self-contained Young Socialist, hiding
and finding again her dreams with boy-friend
and sisters, an absence for father.

She knew how to take disappointments
and did a job well by second nature,
knowing she'd find her level. But so many trials:
the donnish cocktail party; the loud-horned Stag
by the Ball lawn one drunk May morning;
and the groping Board, accidental 'baby'.

When her missing father died
('run over', sozzled) and the chains
rattled like thunder in her tiny ears -
she knew how to take it
with a tear and a downward wry
shrug. She'd find her level

and would still help the world to find
its proper balance, she thought,
visiting mum in the small town cobbled terrace
with her twenty-first trophy of a gypsy princess headscarf
and her words, her comforting radical words,
that the tin kettle, tooting, syncopated.

The storm came. Walls,
containing, ruptured. Justice miscarried.
Root and blossom. Trinity lost again.
Bubbles writ in water. Whose betrayal?
So organised and self-possessed! Bleeding,
full of 'heart', 'brains', absence.

Atonement And Jet Lag

The turbo-props judder.
A pause. Like a steel swan
she arcs, then, and spreads her
swelling wings, and booms on

to landings, welcomes, or
a rented room, a deal
that brings one step nearer
the 'state when we can feel....'

No photos in my wallet
now. No time for contact.
How could she? Dreamless, yet
this busy round of fact

fulfils in confused part
my yearning. A plastic
Buddha on an airport
counter, black letters, thick

and glaring ('*Hollywood*
Marriages...') disturb my
idle hours. And still ahead
'*Per ardua*' stars fly,

so many. Someone will
tuck the kids in. No way
there. Flying forward still
forward – to stand today

exulting to the moon
chanting to the river
that I am still alone
and will be for ever.

The Doctor Recommends Rest For The Fatigued Manager

Down thoroughfares, clanking, come the machines,
rusty, busy, buzzing, content with smug blindness.
In line we step inside and clamp on features.

I like labels, distinctness, but I am indistinct.
My legs move by memory. Words rise and fall and wait.
Death and God can't huddle into this stillness.

Days pass sharing time's blocked possibilities.
Dreams, values, revolution – I break hopes like eggs
and am sick of my sickness, sick of the stench.

Faces like torn paper patch the windows.
This world won't let me be my selves. The audience sleeps.
In a tidy house Mr Nobody eats snails.

Countless corpses throng my stolid garden.
Pieties flake from me, sentiments like sticking plaster.
What to believe in? What can bring happiness?

Thin clouds line and hang themselves on lamplight.
Following instructions I bought and acted all they said.
The heavens are charcoal on rivers of shadow.

If only we could love ourselves and love each other
and grow from small pain! What comes of honesty?
Where the road turns, a sudden wall of rain.

Unfocused in my blackness I need illumination.
I am alone, dreading to be alone, dreading to be joined.
From the dark a blackbird sings out pure despair.

Star Of David – ***The Poet Reclining***

Above the grass he floats listening to the fields sing.
Released from sleep he dreams with eyes wide open

to wake into his peace, a stone figure, tensed hands
at rest on wrist and throat – but more alive than living,

loyal husband, animal-angel, child of earth:
and yet he is alone (the bride painted over)

below lilac-heavy heavens in a dense drenched meadow
with face turned from pig, horse, pine, gaping doors

in harmony of pasture, creature, knowing all are there.
In flames prayers rise to open the universe, felt within

not imagined. He supports the picture, long legs flying,
but is part of it too, dreamer and dream in their real home.

Above the grass he floats listening to the fields sing
with his own dark dream to share, with his own dark joy.

Breaking The Dream

You call me God.
I am camera, dreamer.
My will makes it happen.
An exciting adventure
that you'll share:

shepherding groups of three
or four (check that later)
to plenty from the mad enchantress
without the devil tricking capture -
could I provide for temptations? -

from the moors in early morning
(how birds invaded silence
in Hollywood soundtrack), it was easy,
the path between harvest grasses
by oak and taller eucalyptus

then something flashed, high in shadow,
with gorse and the safety of the sea in sight,
it couldn't, how could I not have -
and you woke, killing me. You'll never know
what happened, the who, the explanation.

Phase Two: Major Major And Catch 22 ('91-'96)

From 'ICARUS'

(i) Democracy

Satanic cults, old-boy networks, Tory placemen, paedophile gangs:
I suggest that in the best traditions of Mao and Mussolini
we all chant breathlessly at breakfast and in school assemblies

'this is a democracy this is a democracy this is a democracy'
and if we lose the beat or a fraction of the zeal, have to write
it out a thousand times, altering the shape slightly, feeding it, growing it.

(ii) Disembarkation In The New World

Through war zones I travel,
time zones, check-outs,
customs and forms to observe

with various labels: unemployment;
silent leaving; pension if you say
you're ill; homelessness; bills

for services; hostility from quislings
and threateners; geographies of guilt,
hospitals routined to make you

better and wider wheels whirling
behind all these in concert
or disharmony with lies and files

in secret meetings while country
and universe run themselves. Visions
I've always shared lurk inside

consciousness, I think, (that space
behind the eyes I sometimes find
crowded) to surface from history and future -
of planes, circling, of flats in Pentonville
blocks, of masses being fed and watered,
people on leads marching down streets,

Paradise Gardens edging the greenwood,
and the Houses of Parliament, Brussels HQ,
the Mall, the Coronation celebrations where

a child leans to the gutter by police
boots to pick up a festooned sweetie.
Backwards, then forwards, to witness

besieged battered truths. They spout
we have choice but they know best.
Give me the pension. Say thank you.

(iii) War Of The Worlds And The Time Machine

A nightmare, the Thatcher years,
but have we woken up yet?
It doesn't have to be heartless competition,

lucre, 'strength'. She altered
her Bible, ignoring the unemployed
suicides, no-go estates.

God v Mammon (late kick-off).
Lucifer v The Missing Family.
Falling Star. Queen of the South.

(iv) Lost City

It is raining
a clear clean
rain. In this
lost city, of Aztec
sacrifice, of gold
worship, it is
raining – and it
will not wash away
the scars, the poor,
the needs, the system
that splinters and
cannot right itself.
Who do you
worship, fool? It
is a fresh clean
cold rain, with
a hint of fire
coming, in the veins.

(v) Gulliver And The Machines

You'll be fed tea and cigarettes. You'll be locked
up and let out occasionally. You'll be used – neutered,
the caring driven out, the talent and energy mocked. A socket

for other bastards and bitches to charge. They'll mash any
gentleness into marshmallow. Live in the muck, an
unfunny clown who can't sing anymore. It's better

that way. Laugh and wink to yourself, nod privately.
Your strength has gone. Gulliver strung by the hair
and fed through the shrinking machines of horror.

(vi) A Temporary Home

I find myself at home with the mad and terrified.
Into black holes we disappear, forgetting our names
and time. Curtains and carpets bloom like vegetation.

Underworlds are in us, their weeds and snails. From the wilds
of Asia shamans call, grand dukes in Mittel Europa.
Black and white. I wake to a moment which others invade

as bullies switch into their sinister mode. Should I
master those sadistic phrases? Traumas form on telly.
There are pilots in the dark. It can't be a crime to want

a woman who'll heal me and still love when I'm strong.
I've seen blades on footpaths, nearly driven into trees.
The world reverberates disaster. Some seem happy. With them

I'll float one day. My antennae should send as well
as receive. Within the larger worlds around us I want
to walk proud sharing the load of the ages like an ark.

(vii) The Politics Of Greed And The Illusions Of Little England

A blueprint: Thatcher courted Essex Man
and Middle England awash with prejudice.
You can buy your turreted home and shares

in privatised utilities. So ape your betters,
hate Europe, invent wars. Get your nose
in the trough to wallow there. Vote us in again.

Valentine Ode For the Age Of Aquarius

Once upon a time they opened the book of life
and there were angels singing on every tree
and spirits guiding every star, in a heavenly concert,

some dark, some mysterious, open to accident,
in a divine and social evolution, with the necessary
feminine without which there is no future,

and the Heavenly Father said, the Earth-Mother said,
in snow and tempest, spring and mercy, the nymphs of power
in every element cupped their hands and said 'this is my gift'.

The gift is love. Clothe it in birds and insects. Hammer it
into gold. Crucify it. Lock it in concentration camps
and hills of skulls. Bury it in rubbish dumps and nuclear barrels.

Turn it loose and lonely. Invest it in World Banks. It will not die.
It has the innocence of a child, the strength of a hero.
It will not be sold. It is a free spirit. It lives in ordinary lives,

different every time. It cannot be patented. Fight for it.
There is nothing more important. Count its blessings, see
it in all its varieties, lasting or not. Spread it into

justice, sanity, a balanced world. Help all have
their share. Every life matters. Hear it sing in every tree.
It binds the world. And it's ordinary when found, so ordinary –

like hands touching round a cup, bodies shuffling in bed,
the late night messages on radio, dreamers dreaming.
Believe in it for everybody. It will grow.

It will take over. And the sensible angels will sing.

The Grand Re-building

Lift the lid. Look in.
Lions strip a gazelle.
Maggots eat an intestine.

Reflected in pinpricks on the underside
stars have calculable places.
Patterns glorify the microscope.

A man hangs on a tree
for centuries of appeasement. The suffering
is never over. Radiation sickness

catches thousands as the concentration
camps are opened. Refugees still
queue for slots on the 'News'.

The land is drenched with chemicals.
Rivers thicken. The ice caps
melt. Economies have been altered

in ways that could take years
to unravel. We muddle through disaster.
There are no certainties. Love songs

exaggerate the problem. Every beat
of my heart is yours I say
but you don't want me. The radio

relays my dreams. I tidy the garden,
plan the grand re-building.
It will take a long time.

And God never watches or speaks
as light catches the Virgin's
icon. There are tragedies. Whisper them.

Phase Three: The Years - Don't Look Now ('08)

Proverbs For Finding Your Selves

I Proverbs Of Heaven And Hell On Earth

O Earth O Earth return!
Arise from out the dewy grass;
Night is worn
And the morn
Rises from the slumberous mass. *William Blake*

Oh my black Soul! now thou art summoned
By sickness, death's herald, and champion; *John Donne*

Horatio ...To what issue will this come?
Marcellus Something is rotten in the state of Denmark.
Horatio Heaven will direct it.
Marcellus Nay, let's follow him. *William Shakespeare*

A Autumn Leaves

September : the paradox is that a mocked pure woman with sexual feelings in mind-rape can mock the rapists purely : they've ruined us for decades and for ages : mother earth is assaulted by war, industry, pollution : is nature moral : waves of depression sweep across the Atlantic : acid rain from her power stations lays waste to unsustainable forests : the Gulf Stream diverts to melt the ice bergs : the blown oil profits run dry : equatorial jungles lose our protective misting canopies : families of gods played games, wanting to be human : Leda's rape produced Europe : face the demons in the underworld, Orpheus, Demeter, Persephone : it's getting murky : try the Arctic monkeys

dark systems revive blighting harvests : nature records all this : how power corrupts, that century of wars and dictators : the nagging voices will never stop, wanting their perfection : dream of spring cleaning a new home for us all : set in modesties of opal and turquoise, my poor love, earth responds to the sun : unfreeze and whiten the heart as it answers : the oak stands firm : we reach for peace, the peace they'll never see or have, the self-mocking humour : we're fighting for a mother and her wounds aren't superficial : this is your captain speaking : the Titanic won't sink : this love goes on : if we load every rift with autumn gold will sex and waters flow again purely?

October : it's love not hate, you fool, for almost all and hate for some not loving : we need the balance : ask Yeshu : I hate Catholic leaders : they were reactionaries to a man : I hate fundamentalists – it's not my message : new earth, not rapture, Armageddon : get organised : I tried to set up my succession, with Gnostic priests and Eastern leanings : take your places in the long line soon, the Great Year : the harrowing of hell and judgment days have almost happened : the spider at the centre of her web pulls her strings : I tried to believe the pattern I found too, Satan at my elbow : they would press the button to profit from war : it's devastating

the scales are weighted : we've had our harvest festivals and thanksgivings : give peace a chance : the evening star harmonises : none may seem to offend but you have to learn that some deserve extinction : don't be too indecisive and airy but fuel your emotions : are viruses and plagues in natural and political systems : equanimity means you still have to fight or you're rotten at the root : don't escape into the drugs and dregs of power : let gay prides find right rites : all you need is love : you're strong and sweet, fertile, innocent, reborn : I used to be a jealous guy : it gets dark but waves of light flood the air : can you laugh through tears, your loves deepened by hating?

November : the worst evil focus the earth has known focused our evil for ages, coming to a head : the return of the beast in human form : it's life or death : Satan was bald but plausible, hiding his mask ; he tempted with power : the planetary force made some old boy goats, lying twins, mock-envious Scorpios vulnerable : come and see the brides the lambs have married : they can be simply profound and comically angry : ask Yahweh, who his rival was : the tricks are endless and collective in secret cabals and rituals : can you exorcise that possession where the worst are full of passionless intensity and the best find strengths and convictions : we exploded that death star

the holocaust would have stunted evolution and smothered earth in dark clouds, killing fields : they're dinosaurs, primitive and empty, telling themselves they'll survive : the remnants of that force must leave our nature and the universe : there are crows and hawks and vultures and proud eagles : never forget the murderous hate, the self-loathing, the dark light in magnetic eyes, secretive yet taunting for mastery : they're haunted without power over themselves : suicide can call : I look at the stars and listen to the birds : he's off again : you don't bugger me, you shits : the black telephone's off at the root : it will come out in time : don't try default words : is this pure evil?

B Winter Storms

December : we long for justice in earth and heaven and in heaven and earth justice longs for us : we're animals too but we can aim higher : across empires of thought we travel, digging the strata : do you know it all, know-all : judgment nods with distracting accents : the flames lower and the optimistic laughter sounds disheartened : how can we beat the bastards : the turning is crucial: their world is shit but we long to be noble : are we at heart jovial and social : they have gangs within gangs, cults taking over culture : just laugh, boy, accepting frailties and not with the sadistic dismantling of Ross : come into the fire circle, a centre of shadows : make it through the night

we need parents in love too : I'm not a child : I march beside you in the search for knowledge : honestly we're all insecure, not ready to learn : the arrow-shower falls somewhere as rain : do you believe in British Justice, the Guildford Four, the Birmingham Six, the Sevenoaks coven, the Knights Templars' dark tradition : apple culling produces bitter wine if we're not choosy : practical judgments integrate victims and facilitate rehabilitation : the darkness takes over sleeping beside us in their nets : fight for our futures, the friendship groups and families, the life and soul of every party : Santa Claus, not Old Nick : the centre banks heat through the winter : do we need to long for justice?

January : they fill in forms and seal their deals to fill us in and seal us off : morals decay as they wait to succeed : these impotent old, calculating, hollow at the centre : they build on ancient corruption : their substance is black, their style specious : PR hides all : who has character and judgment and strength, their companionable equal : the World Wildlife Fund President bags a few pleasant pheasant peasants : never crying except to lose control they argue the end will come their way : I must go on and on : there's no alternative or society when they rule : imprisoned in the past who'll liberate their spouses : traits are dual, virtues and faults : try teasing yourself gently : try real love

their comedy is downturn sarcasm : they should build on values : with sex forced they adore what they can't have to batter down rivals and rejected partners : their victories are vacuous, self-congratulating me-me-me : the boredom is infectious, rehearsing every trivial detail : the dream is bourgeois, stacks of money to fuel the life they can't relax in living : stocks and shares are invested in zero-growth business, quick bucks from paper speculation : their green shoots wither at the tips of arthritic fingers : goats can be sure-footed if they climb real mountains : the good accept modest fruition with seed-time grounded : Baal and Moloch misled, outlasting Satan : can we seal contracts to cancel the old forms they filled?

February : the new age is old from new and new from old because it won't be like the others : I'm trying to write a poem but I keep forgetting lines : belief in the human family involves rejecting some authority : the times they are a-changing : who fights us and why : it's still dark and they march to old tunes, a false cruel god, Elohim, Ur-Jehovah : floating on tides of humanism dare to know with Buddha's enlightenment too : they won't let us share good news : the water bearer speaks through us for others : the springs are blood-tainted, the wells whisper darkly, the tree of life hibernates : angels are grounded for now : I see Graces dancing, Fates with scissors : child abuse is scummed water on a stagnant pool : Gaia coughs in spasms : with the right parents will the young carry torches over ancient pathways

our close feelings multiply from elsewhere : we plan hazily but the heart of these ideals is sound : rainbows quicken and the air buzzes with new interests in knowledge, diet, lifestyle : let's remove the noise, the black interference, the blocking of all our visions : with them we march and sing and dance out individualities and hip-hop nakedly too : the enemies lay siege marshalled in ranks and waves : we need media breakthroughs, fair-minded and tolerant confirmations : the financial collapse is re-directed when they're wary : in our blood shanties blow in the wind : try hippie rockers and Hari Krishna, Hair with Dylan And Cohen : there are alternative worlds and there are costs : try laughing at this : that's life : will the new age be old news now, will the old ages be new?

C Spring Rites

March : some hear voices in their heads telling them they're mad because they hear voices in their heads : compassion doesn't have to drown in suffering a sea of tears : protect mother and child, Thammuz-Osiris and the Jesus and Mary Chain : it's not an immaculate conception : ask Yeshu : I flit into minds : Luther was mine, no pomp, no money, simple aims and values : it's one to one with support from others : feel the deep true love even when tempted elsewhere :

they hide and retreat when the dark force tries to isolate and destroy : there are white wizards : imagine how some die, without hope, alone, neglected, rows and rows of tiny crosses : swim in one direction now fighting with your fish-god : you can be graceful and rat-arsed : you need our strength

there's been too much sacrifice, twisting the Isaac story : let's re-place half-conscious images releasing the god within : I show my face in final agony to alter the symbols : let's ascend to woman and man majesty : I taught love and forgiveness : some don't deserve that : they chose to follow evil and they choose again every day : it's oblivion or rebirth : I wanted revolution for the poor, the cast-offs of empires, and to overthrow the tables of money and law : can churches promote the freedom fighter, Che posters beside my statutory pose : take from Caesars what was theirs to re-distribute through all worlds : we need womanly empathy, the sisters organising after blood shed in male wars : I could cry forever at stunted life, endless angry tears in time for all : can you hear the true voices?

April : filled with emotion we close and open, open and close as we wrestle with language wrestling back : it's good to talk but toll profound verities too : I get so impatient and interrupting : forgive me : we need to stride sometimes like Aragorn voyaging through strange thoughts : it's sublime : who will be the champion, the standard bearer, St George : Shakespeare navigates abysms and arbitrates subtly : the Scottish play confronted evil : we've seen their spies and waded through rivers of blood to a climax : Hamlet didn't hesitate in the end accepting his mission to cancel the canker of our nature, the source of the disease : pride can mislead or annoy when it isn't well-rooted : importantly some don't reach deep ideas, their values venal, their families in tatters : the recovery can be simple too : ask the Queen

almost alone Yahweh-Allah fought for ages : we're with him now : we get things done, closing files : the knight on his white charger carried courtly love, adoring women with romance and power : the fool, the man-child, tries to be endearing and accepted and can be used : I reach for reason to direct my feelings and still release them : shout it out if you have to : shit is shit, the bloody fools : reject or ignore them : their pride is ego, supremacist, their anger stoked in envy, their rivalry the poisoned tree : their love is obedience, submission, humiliation : accept the rasping cries, the pride of lions, the ram's horns seeded in the gentle lamb : Colleen says she thinks you are who you won't say you are : this energy is creative, hearts set on new worlds : if we wrestle will the deep emotion open to a close?

May : we grow in language and culture and culture and language grow in us, if we're determined : set details in boxes and mind-maps to plan, then lead by delegating : Hitler conceived a final solution : it wasn't just for the Jews, like Uncle Joe, the black and white police state : check who manages the outlets : is madness collective when failure and apathy halt the hallelujahs, with lorry-loads of Combat 18, terrorist plants in cells : how can people say they hate the Jews because they killed Yeshu and fight Mahomet when Mahomet and Yeshu descended from Abraham : Marx worked for a New Jerusalem like us : it won't be perfect but it will be better : he set out women's equality too : an easy charm placates when they just threaten, bribe, blackmail, murder, dictate secret orders

we need new slogans and models : did they ever spell out clearly what they stand for clearly : socialism, progressive values, feminism, the freedom of the individual collective, stakeholders with shares, rights with responsibilities : see through manipulations : the Nuremberg rallies compressed invaded space, rabble-roused emotions to mob-rule : decline and fall provoke Goths and Vandals : the Zulus besieged the veldt : the people's princess pulsed sentiment but tabloids turn on every figure : even Nelson Mandela isn't safe : doublespeak is doublethink : power corrupts to vanity : we need humbled humility too, the hardest word : Antony roared like a bull but his Cleo is constant : are you sensitive and intelligent really, mate, the diplomatic peace envoy : let's stubbornly share the luxury of life : can we clean out language and culture to a healthy culture and language that grow?

D Summer Rain

June : we live in systems in systems in systems but systems in systems in systems may contaminate : the trickster with his serpent-staff led down to darkness not up to light : both are necessary but concentrate on directions so you're not lost : there are underworlds we struggle through, yobs, gangsters, covens, Young Turks : who controls the dark ones and the thought police : paedophilia is secretly respected, malice and money rule, murder is no longer the final boundary to what's human : vampires need new blood : they infiltrate idea-words that aren't yours : they fence us with apparitions : they mind-hate-rape through the night not knowing where they lie : they home in on weakness leading down to a world of no self, no body : that story about a tribe of liars : if you ask are you a liar logic breaks down : some lie to themselves when they lie to themselves : are you called, satanists relativism contorts what's self-evident : can cynical despair trust what's new and solid : the wires whistle, the satellites whirl, the internet spreads gossip : knowledge shams in unsourced shreds : some talk too much, flitting from party to party : what do you like on telly and how can it affect you : is the news just another story : how much fizzy water and doctored burgers can you swallow : war is peace, hate is love, sterility is growth, heaven is any old illusion : where are the headquarters of patriarchy and the paymasters of capitalism : how many gadgets do you need : how many even have the basics : the systems are all wrong : is that a lie : discriminate : Hardy and Yeats worked analyses but too much the rough beast and pessimistic fate : if your life is not wasted you can face death : are their dark secrets brought helpfully to light if science starts to explain systems in systems in systems?

July : Catch 22 says sometimes you can't bear life as and where you are in weakness but in strength as and where you are you have to : reach for the old to understand the new, worshiping great parents as moods change with weather and white waves : the black madonna Ishitar could never crack us, false mother, unloving wife, hard and cold : imposter gods and twins helped establish the Whore dictating to dictators beneath a black moon : those breasts don't nourish : ruinous families with nanny-loving little Hitlers, too-strict discipline, false housewife economies that didn't trickle down, pawning national treasures : we are not amused – the black widow who would be queen : jungle capitalism run wild, the Porsched yuppies misplacing our futures : who's good with finance : try imagined parents in every system, the humane family where sheltered children turn to adults talking : in cleaned waters we hide and find resilience : what do you feel in your hearts

springs meander to the sea : chaste Diana, sensuously sentimental, doesn't need to be possessive : we sidle sideways into truth to wait for whole pictures : Nature becomes Gaia, the force controlling, as flowers burst in many colours in their settings and circles : show us your tits : not object-bodies but royal, see, women as intelligent and funny : the rhythms of the day, the week, the month, the year, the century, the age : let it be : the long and winding road comes home : their talk goes on for hours if they break reserves and find subjects : with a protective shell we patrol the shoreline like amphibians : dreaming with the moon see silver trinkets shimmer : old as the sea, she is mother, wife and daughter, the seeded threshings we evolve through : like waves moving in and out, identities merge : green frequencies transmit pictures : the stars feel our growth : as times change in weakness and strength can you bear life?

August : who do you think you are and are you who you really think : the sun will scare mists away on our stately journey with messages and warnings, cancers if you come too close : it rises to its height with burning mane and affections : we have sovereignty in every system, however abused : in the dark old leaders misdirected revolutions : Churchill defended our worlds against Nazi tides : you can be too bossy but secured in love like my father you let people grow : the Sphinx hid its ancient secrets, tell me who I am when you are sure : their harvest was a robed priesthood and ranked civil service serving up coups : the Cuban crisis a fore-runner with nuclear holocaust our nightmare : we unlock nature's secrets but need regulation : the immune system, the backbone, can fight tumours, invasions, poverty, clouded evolution : Gaia screams we must act soon : see them side by side with equal powers but differences too : don't sulk : we fight fundamentals, waste of creation : where's the intelligence in intelligent design

don't let reason rule alone with its limitations : move it to the left or right and trust instincts : do you need proof of everything : brain heads bodymind but doesn't have to be autocratic : that's fun too but please connect to other qualifiers : out of Africa we came : we have white Welsh gold for simple rings, white cups, a balanced oak, a chalice for crimson wine (with visions of the Queen of Heaven?) : Arthur ruled a round table in a noble land of quests and mysteries : your mind is still searching : I bring red roses : the doves circle our garden, this ordinary home : the sun sparks growth, shining minds and hearts, shining souls and spirits, in the old language : we turn to energies from dark waves, planetary force, solar powers to understand our codes and selves : reason enthrones humanism with our lines : the universe sends us on : we've forgotten Thatcher : who did she think she was, a match for you or me : now at last can we live who we think we really are?

II Proverbs Of Hell And Heaven On Earth

Macbeth   *Methought I heard a voice cry 'Sleep no more!*
Macbeth does murder sleep',   *William Shakespeare*

Cleopatra   *Had I great Juno's power,*
The strong-winged Mercury should fetch thee up,
And set thee by Jove's side. Yet come a little,
Wishers were ever fools. O come, come, come,
[They heave Antony aloft to Cleopatra]
And welcome, welcome!   *William Shakespeare*

So past the twelve Months forth, and their dew places found   *Edmund Spenser*

A Autumn Turning

September : nature surrounds and inspires and teaches : wait for Gaia's pictures to that clear quiet space where we tuned in from our earliest times : we're partly animals and all have variety and splendour : the primitive mutations and warrior cultures in our nature will be re-routed : it's the Second Phase of Human Evolution with a spreading consciousness : endangered creatures will be liberated in reserves with workable numbers in workable environs : if we clean land and water the biosphere will make stable fertile climates : we're more than tally-ho agro-business farmers leaching chemical pollutants : who provides what we eat : we combat disease with self-discipline expressing the releasing emotions : we domesticate animals to widen our family, with the same rules – not too cruel or strict or over-indulgent : what do you think of killing for sport : they have consciousness, love, they feel pain at what we've done : subtler moralities seed with Gaia, our guarded guardian, the fount and guide of our being : nature offers beauty in endless forms, beauty not fear, in awe not shock

most problems come from old religions, families and bourgeois patriarchal social teaching : what is a good man and woman, a good boy and girl : each orbits a nexus of truest selves : check positives before you act, not shadows : try a continuum of tested ethics, from patience to impulsiveness or victimhood to revenge : it's hard to change : why not the middle way rather than arrogant or meek extremes : play traits against each circumstance in practical wisdom : it's where universal values come in : if you're sure of who you are act on uneasy impressions with innate good sense : take your own advice : morality is what you make of what you're given : some in families and circles can make them prisons : find inspiring models to assimilate : there are no slaves in the republic of love : what you eat eats you, with residues in organs : junk food is junk and exercise is beauty, living out your active grace : a healthy mindbody in a healthy bodymind crowns itself when you love your growing selves : there's no one just like you in the history and future of time

October : compatibility is what makes a strong relationship, lovers, families, friends : it's magic finding the best matches : check full birthcharts and gene ancestry (some marry their parents), then add in environment for growth : we find echoes of family, friends, key figures from the culture : mirrors tell when it was good and can re-develop or re-supply lacks : don't pick clones : if the first combination didn't work the next won't either : don't dwell on the one true love myth : move on as adults if you don't grow together : most need to sow wild oats sometime : Schubert sings of joy in a lonely diseased season, but what chance with those social laws : make people feel good and life isn't wasted : some decide to share equally at home with themselves : totting up resources argue practicalities for happiness of the greatest number : say half a dozen deep matches in a lifetime and others who come close : commit and make the most of what you have while you have it : loves can deepen beyond courtship flannel and airy sentiment into joys : if work and leisure balance joys extend qualities time for all

tune the brain, please, to fight for earthly justice : in unhealthy times you may need courage to change but the cup of love can be re-filled by an ever-loving heart : beauty beholds you in the mirror : disease stains the body politic for decades : everyone has love's seeds : these things were sent to try us : dark spells miscarried overloaded networks : we need equilibrium in weight, the lucky charms : if justice is blind we see with other eyes, clearing the undergrowth in the judiciary, the criminal money jamming judgment : with legal aid Cherie's a pretty good judge : decisions, decisions : science explores the causes of crime, the victims of systems, the early diagnosis : we're not elitists in our brave new world : sweeping minds can flush out aids, aneurisms, black cells, imbalance in environment, a baring of gifts and alms : genes survive for longer lifetimes : there is a beauty in anger and laughter through tears, in compassion and sneering at false triumph, a beauty even in our temporary defeats : let the music sing this out : are justice and joy for all our dream

November : the satanic tricks are endless and subtle : they usurp, transfer, drum crashes, collective doubting clouds, strike in spite, raid dreams, sending their power into unconscious trauma to extract deepest fears until you're a zombie like Winston Smith, worshiping Big Brother, black mother : it's mindless violence, incest, rape : they tell you you want it : nightmare prisons, nightmare cycles : their rituals break spirit to make a child vow allegiance to Satan before slaughter : primitive sacrifice Yahweh outlawed : relaxing after hours they talked openly about taking over the world for their god : Melvyn knew that thrilled pain to press the button, defy what's human, kill love and hope : without the mind excitement, the power orgasm isn't even sex : explode that myth : they can't strut around like God's gift : they can't even say I love you : it's like promiscuous habits when you can't relate to the parson as person, perverted parental impulses, porn and body to body warmth : size doesn't matter if you match : even in the deepest night they could never turn us

remember some lived in their own hell on earth, stranded beyond love with a body that rebels : some Scorpios haunt Pisces, smothering, or make Cancer hide and suffer or hate Aries as their false fire rival : what lonely lives these satanists lead : we're killing them softly with soul music : that need to belong, known only to a few and made respectable there : fired in love, control nature and risk, with discipline to develop the selves : some leave with honour or horror at how they'll die, saved : Pluto shrank, targeted by angels : the lost me-generation of Thatcher's children need protection, with instinct and reason to argue them round : dig deep for motherly conscience, fatherly conscience, in private : the purple moves from electric crimson to pinky mauve : the drive to humiliate is soul-destroying : can power tricks be enjoyed as games where no one is hurt : the art of loving is to be your loyal best to the one you both choose : there was a dark star and an evil eye : don't possess or intrude too much and make hate judicious : who'd want a pitiful sex life : if values grow those powers detected work for justice and us all

B Winterval Celebrations

December : we talked around campfires as we watched the stars and dreamt of animals : we are all seekers after truth and wait to confirm : above the head the spirit hovers, sun sign modified by ascendant : with these we can fight, ourselves : they made me go round in circles for years : knowledge arrives in patterns that test evidence with inspired hunches in science and arts : there's pleasure in connecting but suffering involved : if you talk it makes sense, learning lifelong not tower to tower jargon : spin dialogues with your head figures and your selves, extending to sport and culture or political or religious groups – or even shopping and gossip and décor : why compete when respecting clashes stimulate agreeing to disagree, defending what matters, opening minds : judge the slogans and the depth, society's voices : take turns, me-time, you-time : altruism and social evolution make us noble, extending the republic of knowledge and the knowledge of goodness : our declarations include love : have I done justice to that laughing spirited sign

we're social animals always broadening families, from small to large groups, widening our impulses to identify : sometimes we travel, circling home : we're more than hunters, although some pack-rule-skills evolved there : managerial gobbledegook has fuddled us for decades : true management attends to human needs with a sharing workforce liberated as individuals, male and female at the top : friendship is a form of love and, my God, how we need it : balanced individuals negotiate gender models : some deep connections last : try love in hope as a central base to survive their darkness : enough knowledge stirs for each to understand what made them : who do you align with : Robin Hood or the Sherriff, Darth Vader or Luke Skywalker, Tory or Labour or Lib-Dem : tribal genealogies (one dark tribe in each culture) and historical events unravel : just put a bit of politics in : Jerusalem is our anthem, mental fight : you do go on : we join now to deal with any force disturbance

January : these impotent old twisting old corruption, Walpole to Philip, Hoover and Nixon, Reagan and Thatcher – the poverty at the centre no kicks or love or money could satisfy : in dark satanic mills, people were machines, no body, no soul : greeds feed greeds, heartless capitalism, robber barons, cruel toffs : what chances did democracies have : some systems play on weakness until you hate what you've become : we're not doomed if we listen to sage counsel : Tories keep busy with clapboards to feel important, the shires and small town America with dead minds, privatisations, little England across the world, Hitler's order-obeyers, pen-pushers of Empire : what did it hide – rape and murder and theft : they play race and Europe and emergency cards, setting up crises to seem strong, double-edged axes of evil : do I keep chasing crime or become a human being : Hollywood melodrama (dark waters) attacked Christian marriage from within : they called them women's pictures : are the Stepford wives freed : Thatcher was her father in drag, the black grocer, the Boudicca who led Britain backwards

mummy's boys and daddy's girls who become mother-haters : did the Queen protect her children : families and their heart can be saved : how are you, Dave old boy : but you never stop plotting : is that naughty mummy telling you to do naughty things again : do you want to turn to good mummy and fuck her : but she doesn't want you : do you want good daddy to spank you really : he can't be bothered : tell George to do it : they pushed the Neo-Con agenda forward : find enemies for killings from military-industrial complexes, arms for Iraq and anywhere : survivors can get drawn into becoming abusers, workers trained as masters, the strong cruel young groomed to take over : Cameron is a victim of abuse, class, schooling, parents, corruption : Thatcher wanted all to like her and be one of us : I nearly ruled for 40 years, her-indoors-who-must-obey-or-be-obeyed : the tragedy is we could even love the Margaret who might have been but can we forgive : tomorrow and tomorrow : use your wits and self-knowledge : we progress through the seasons : Janus, the two-faced god, opens the doors

February : the gift is love and you can experiment : it's all over, baby blue : we've grown up : it's your age now : feel compassion for the human family, anger for justice, the sisterhood of man : we'll root out Rwanda, Cambodia, Sudan : they're our countries : try truly democratic models adjusted to tradition and size : science-sourced awareness will cleanse waters : Gaia will breathe refreshed airs : what does equality mean in action : the torches and statues of liberty move in old-new declarations : try sport nationalism, ethnic cultures, continental alliances, the World Bank and U.N. re-established to feed us all in green development : sequestered criminal assets for equities in manufacturing, crafts and housing, streamlining infrastructure : at home try socialist equality mandated in democracies to broadcast progressive values abroad : let states invest in fair trade futures, localised business, design patents : British models can be adapted as fiscalism frees : the old enemy became monopoly capitalism : the status quo changed with our generation : can the young carry this through our one world

I've started so I'll finish : rub your hands together, please : we need a new language that catches the spirits of the times deeply : so many keys : try Gandhi, Mandela, Martin Luther King, Haile Selaissie : our history is cultures learning from earlier cultures and re-tuning names, stories, forces : fill mantelpieces with symbolic cultural artefacts, African, Hindu, Norse, Ba-hai : try Miller's representatives for wider malaises, the reality of the American dream, war guilts, witch-hunts, twisted family dynamics loving child not spouse, the price of capitalism : victims of our times, we're trapped in shaped dimensions, conceptual webs : they're killing the Christ in me : question all beliefs to change lives : Friends is positive on sex enjoyment, parents, marriage, new lad turning to new man, male and female talk, post-structural comedy : who'll join this movement : challenging fundamentalism and climate change both save the planet : you can't do it alone : respect the humanity : angels found a new age in the old language : it's provisional and happening anyway : leave it and let them grow

C Spring Rebirth

March : the body-temple streams with fountains, soft voices and cascading skin : were you good at organising : I sent revelations but they gabbled details : this need some have to worship, suffering : I showed my face to make them see their evil : let's commemorate each casualty to construct something better : do equatorial forests and wide currents and guarding waters with Naiads and Nereids sometime : we purify holy springs : the Mount has a well where the tree of life grows : three temples side by side for a new Jerusalem revived from within : the dead bride and the mother : the scarecrow in the attic : voices and institutions can take over who you are : there are two Marys interceding : sometimes spouse and friend are pietas but as adults we're most ourselves : if spirit is the active agent directed by the mind it sits above, soul is different in wider times, filling the centre behind the ribcage, absorbing experience and the inspirations of the ages : when both combine you're whole : my stolen soul expels, swimming deep in their currents : we live in dream-worlds : develop and secure the images there

I have to do this sometimes in poetic language : Today said it's the richest in the world : we're all masters daily : say that with feeling and breath, naturally, speaking your voices : refine the arguments by re-jiggling old terms until they revive or transfer : truths are deep if you understand our meaning : we love mother earth with the tears of heaven, the rain that replenishes the roots of our being : just cry : my heart leaps up when I behold rainbows, simple light in watery air : I'm tired and I sometimes hate this bloody job : instress and inscape embody hidden forms : it's double-takes all round : poetry sometimes wells up inside : we're moody but we sense what's beneath surface and darkness : with intuition we attend and heal and mollify human aspects : we need retreats and escape routes but come back changed : minds merge with courage and caution if we're protected, remembering those we've loved : it's your reason so clear it when you need to and play with words and voices : to purify language in daily speech will settle our futures : don't waffle : be pithy : shit : swear

April : emotion is intelligent if we question and talk : live fully by letting out angers and tears and joys : I shouted out those demons : Yahweh gets so bored being adored : justified pride comes from achievement, not showing off or obliterating ego : don't do the connections – let the reader work : jealousy means you don't love yourself : if you're secure why give a shit about others : from each according to his tested nurtured talents to each according to his pitiable needs : have you felt the fun in sharing : why keep unhealthy secrets in a box you're scared to open : how do we turn male rivalry : compete with charm and mock-submission except on grounds you won't yield : female jealousy too : they love us really : Kali and Beelzebub in tormented in blood-taboos : we're stronger, enduring hate when they won't love : I am on an impatient spiritual odyssey, the child behind the screen, fire and spirit evangelising simple truths : stand tall and proud, a rooted tree : they can't, lost forever on shrinking prison islands : we hate those with our faults sometimes : I'm strange to myself : are you happy : do you feel love : we march to the future chanting our songs of songs

to be or not to be : that is the answer : we rehearse our lives in the arts : fate knocking in Beethoven 5, war's epics into peace : try Dostoevsky's holy fool sorting crime and punishment : twilight in Valhalla – add women for the rings saved or destroyed : Augustan wits satirise gold in ages : pastoral idylls look to Gaia : the Romantics knew our place huddling in awe in deeps of dream and emotion needing revolution : Blake sang to Eden with warnings, blurring the Father images : Yahweh retires, newer, truer : he fought Satan for ages and we won : subtexts supply an absence or hole hinting at necessary wider thinking : a matured innocence believes its cause : did they think they'd take over heaven with hell gone : Paradise Lost is found again but we see endings : thou shalt not kill except for the species with consensus : Lear broke storms of pride into compassion : Ariel or Puck can lead us out of darkness without too much mischief : the serpent-staff and phoenix breed commandments : I try to be myself : if we simplify and popularise without patronising we become more than an acquired taste : in all cultures Adam and Eve return

May : 1984 nearly happened : add Macbeth on a worldwide scale : talk about climate of fear, bullying bureaucracies, criminal slush-funding, blocked media : their guilts transferred to enemy without, enemy within rebels disposed of : the disappeared reappear : the genteel facade peddles lies to a mawkish-meagre-moral-minority : recount assassinations, a Nazi Europe, the U.S. evil empires : who tricked who : as Nixon used Vietnam Cheney exploited Iraq : where are the model democracies : try Saddam and Pol Pot : who rules the polls :

beware the ramifications if you let that small chink grow : step by step they lead you into pogrom, holocaust, concentration camp : the universal soldier does our dirty work and suffers : if I could sing I'd sing out Thatcher's heart, the howlong blues : propaganda battles with guns : God won't bless America until it changes : are you correct politically : the underclass grow with drip-feeds of tabloid trivia, bread and circuses, celeb culture, tat tv : we need borders but the deepest freedoms were always beacons for refugees : politics is the art of what's reachable now resolving white solutions : what have we done to our world

they think we need scapegoats to unite us falsely when we need love to unite us truly : involve the reader in the game : the world is our cuckoo's nest : collective madness with mind-splits of abuse and false consciousness, paranoia, repetition : the dispossessed rightly hate their enemies' values : how much difference can you make without looking back in anguish : what's good about the work ethic with no work or self respect : if we posit a range of drives and blocks alighting into consciousness wider shames will heal : the collective unconscious re-defines itself with new-look archetypes : schizophrenia splits the unhealthy voices of society or family : depression won't allow you to enact real selves achieving : ocd and panic attacks come when fatigued anxieties can't find an untwining focus : the abuse minefield – a lost child wants love but that means sex and you can't love yourself or the other : re-root with counsellors, peace-cure-talking, dramatic therapies : the only answer is to build a life and society that befit us all : let's replace primitive mental relapses Tories brought into our community with life-skill halfway houses, respite wards with active listening, restart homes, discoveries in arts and crafts : are you ready for finding your selves

D Summer Harvest

June : some the white cross scars and scares : tricky boyos with scraps of old knowledge and coloured pebbles : I still think Dukes set up teenage gangs and trendification of marketed culture : mindless music when we need subtle lyrics : dirty tricks cross the Atlantic, doing Lewinskis under Starrs : character, assassinations : we sit and stare as body becomes automaton : this is shit and it isn't and it is really : say save the environment, this endangered species, yourself and mean it : headaches come when you're not single-minded : the incessant chat is fascinating with breaks : shopping gone mad with food porn and cult group brand names, binge drink belonging : what's a bit of murder between friends : the old lies, the war-crosses, the Somme : we're more than consumers, fodder, salivating puppets for their empires : what are they selling :

are you Bratz or Barbie, Action Man or G.I Joe, Batman or Bond, Coke or Pepsie, Express or Mail, as if that's the only choice : who runs them : ads and party politicals are our dream-time : try declaring human rights, freed press, monopoly control in every constitution : extend your attention span : pick between cruel messages to fill with values that vacuum : mock the week with old grumpies : have they got news for you

fragmented atoms, existential solitude in the chattering classes at the heart of our culture : it's all relative modernism gone mad : some Geminis pervert innocent followers, the Iblis complex converting misbelievers : the emotional/ political smiling nexus of contemptuous plans : cybermen and the curse of Frankenstein looking for love : bogeymen and hobgoblins : who's the prince of darkness now : this isn't just sadism or possession, it's panic and emptiness, blunted feelings, a life without other meanings : the chilling hate if soul secrets are revealed : deep psychology for all, breathing in process : we don't want to face the darkness without love expressed and shared : remember that mad other world, the self isolated, the gloom everywhere, that despair at what to believe in without old religions, alienated between cultures : try flirting to charm the birds, defining judgment : with love, sex, friendship, family at the centre you believe in the future : who'll free machine and system slaves : don't pay lip service to ideals : can we market our real selves

July : some are always in touch, srengthening in each other : release the children, within, without : we build our stories from life figures : don't feel cursed or powerless : some systems grind you down, slot you into false places : open to all that's human, live up to the best : the double helix, the adaptative genes : the good parent role is central, whatever damage others do : catch bifurcating cells, disciplined love and praise, helpful tips on survival : the child is parent to man and woman where adults can transact and transform : in due time launch them to fly as free agents : if you're lucky with a stable base you can sort this in your twenties, facing demons and traumas calmly, knowing causes without guilt : use ideals and substitutes and citizen models : we retreat into a shell, with barbs and strikes : we return with pearls for eyes : thank children's authors sometime, rooting for our futures : can we forget the eternal realities : the truly human change, say sorry, mothers and fathers : Gaia is moral because she loves and grows with us, expelling residues : the tides have changed forever now

I'm slapadaisacal and I lose the thread when I concentrate and drift off to other worlds, the creative imagination, the flow experience, the Eureka moments :

protected find emperor and empress, deep souls old and new : we have routines to anchor us, weekly rhythms, brisk and businesslike but with a people touch : do you see colours and forms as art shapes itself through the fingertips, the waking dream : have a doodle, letter, text, story to know yourself : aligned visions work the mind and pacify the soul : there's a secondary satisfaction at each stage of a larger project : just put the fucking humour in, you fool, the flights of fancy, the repertoire of sex, the giggling acerbic puncturing truth : try Harriet Potter, horsing for coursing, to the devil with idle hands, get a life and love, I should think so, if you feel it say it : it's so boring, that's implicit, if we've done it we've done it : slow and steady, wait and see : I want you broken, it takes so long, that's not bad going, suits you sir, we are where we are : I saved my self for this : aren't we all, precious : farts scented with perfume : anyway, with fire and warmth and rhythm : it makes our reaction palatable : where are all the women poets and musicians and artists and comedians and makers of peaces : step forward soon

August : when will we have equality, man and woman side by side in power : you'll be my queen forever : reason rules beside me like the sun breaking through clouds of ignorance : the new consciousness is not just psychic or computer contact, it's an enlarged enthusiastic reason extending and controlling a new nature : what fun to analyse and prove together every day : consciousness is partly selves watching selves act out selves with questions of history : fulfilling work and exercise exercise these : I see a long line of humanist figures stretching back past Plato and through renaissance and enlightenment to the God delusions, including the arts : we believe in progress through the best of human nature : I see humanism as a mass movement using science to solve our riddles : why not make a list of all you are simplifying politics, religion, sexuality, class : you can pick any figures to embellish : let's develop Marx, Freud and Keynes : who thought capital would collapse and re-assemble with class allegiance : who simplified bourgeois drives in a masked jungle : enlightened capitalisms demand releasing money for all : the lioness protects her cubs and mate and waits scornfully for dawn : if they did consort with the devil their empires disintegrate : together we're a team

Adam and Eve control the tree of knowledge : the solar system is clean, the sun regulated like us : rich secreted networks shatter in prosperity for all : let's oversee webs, deals, channels, satellites : man and woman are still in chains and what future for the children until we break those chains : what feels right and good and true : trust your deepest sensings for priorities : who do you believe : Obama or McCain, Brown or Cameron, the sermon on the mount or the round table : there's no one like you and only you know who you really are : this is reason talking after the soul and intuition have been given full flight : this is evolution in the widest sense working through us : don't let our dreams slip back : do you need someone to do your thinking for you : fundamentalisms are misguided, hiding Satan : it's our creation, uncountably old : misreaders don't even hear the voices of their gods : think how far we have travelled with a white force leading for hundreds of thousands of years : we need a resurgence in all of our arts : start local, regional, national, then worldwide : I hope there is happiness in heaven, if there is one : just teasing : go, little ship : we exposed the evil that ruined our history for decades and ages : it's a new world order : may the force be with us all

Phase Four: And Now Good Morrow To Our Waking Souls ('97-'04)

Moonlit Apples

You know the magic apple tree, that was here long
before us, at the foot of the curving green path
through a flowering wilderness, partly obscured.
Windfalls litter its grassed proscenium. On its crown

sometimes two doves perch. You've seen them. And
they sing along with the other birds. We'll cultivate
this secret garden. I'm not being too symbolic
or playing with the largest dreams. I'm honestly

realistic now. And we both know there's darkness
sometimes at the core, in the accidents of lives,
a heavy burden, and maybe a kind of curse
(Fromm would say estrangement, being refugees

yet part of nature, alone in the universe). You have
more discipline. You'd say we make choices, work
at ourselves, spread love on a higher plane to
the evolving world. We've waited so long, storing our

dreams. The little things, daily lives, matter. I think
we both can harvest now, help each other grow, find
much of what we've missed. Coincidences
or fate? The curving lane in this small market town

has houses of all times and sizes, jumbled, as we
piece together our reclaimed past, re-build families,
shape our shared world – and I'm still learning your tastes,
needs, voices, in this artisan cottage you'd settled

on, of red tile and cream brick and white wood. I spent
the morning planning wardrobes. It's jumbled: too much
freedom, too much constriction, jobs and money, the forces
of history. Part of me would somehow like to find

something to bless. You have the poem on your wall,
hand-crafted, of moonlit apples waiting in rows at
the top of the house: 'moonwashed apples of wonder'.
I think, love, we will taste them and re-shape the curse.

Bond Adds Up The Score

It's some of the dreams I have, do you see?
Something like a room, private, not booked
by Moneypenny, with maggots, worms, bulged
roots broken, straw, bone. It's suffocating.
'So, Mr Bond.' He strokes a daft white
cat, twirls it almost instead of moustache.
Of course, I'd labelled him as 'villain'.
He stole my mummy and daughter and woman

so I let him capture me, to explore his lair,
and escape the shark-cage, steel-clawed lift,
free-falling down veined tunnels like a turd
or foetus. The girls were orphans, anyone's,
(I tend to be older) or his. They became my
commodities, dream, display. Pussy Galore.
They're dying for it, crying for me (Oh Mr
Bond, can I call him James) still crying

for me, from a sum of odd sessions in hotels
and cars. It was that Cold War thing, of nuclear
endgame and alienation and irony, a world
divided. I fought for the golf clubs of England,
the class system. And even in sex I couldn't relax.
Who'd betray me, with knives in the dark?
My Beretta, my protection! O Biggles, Hannay,
Gordon, Drummond. I played with epitaphs:

'Far From Home Always', 'The Great Escape
At Last', 'Out Of The Clutches Of Women'.
So, Mr Death. No flies on me.
I keep my cool beyond the credits.
My batman has laid out cufflinks, gadgets.
They still cry. My Beretta! It's suffocating.
I'll show you what it means to be British.
And you think you can rule the world.

This Is Not A Poem - Try Universal Values

The dream is so simple for a New Age.
Think of one family, one human family,
where across the world your sisters and brothers
live. Think of one world where our United
Nations fight against slaughter and poverty.
Think of one planet, a guided and protected
planet cabled and linked to prevent disasters

and climate change. We are the senses, the eyes
and ears and brains of a newly evolving
life-force. Think of unity with all the religions
joining, blending their traditions to float
as options for souls and imaginations. Let
all flower fully on all levels with models
for parents. The search for oneness stays

in a living universe open to all who'll
extend their discipline. One world, one
planet, one family. Just a few simple
rules: don't harm or destroy, don't let us
get trapped in prisons where we can't
develop. Open all the minds and hearts
like coral or petals unfolding. Feel

the peace of divinities and forces descending.
Deconstruct the past and unconscious assumptions.
We'll be a new species with spirits reinstated
in us on journeys of conscious self-finding.
We can face the visions and mysteries behind
the veil that disperse into action. Sing
in the new century, with many to follow.

Celebrate it. The seeds are in the sixties
and the younger generation. It's political.
We need to remove the evil and privilege
in all the systems, local, national, world
wide. We're marching. There are beacons

of power extending this light to millions.
We'll get there. The dream won't die.

Albion

Watch this, old men
with white beards from your heights.
I've swooped over continents.
Refugees streamed everywhere.
We'll find them homes. The truly
human share pain. It's immortal,
this spirit. Can we clean up
our country, and then the world?
Let's grow with all the healthy
cultures the planet can find.
Dammed in caves of darkness
Mars twists itself into hatred.
The serpent is hissing its truths
to the prostitute on her pyre as flames
rise in ways they'd not planned.
Labour should combat Neo-Con
endgames and the false prophets
on both sides spreading poisons.
The systems and levels can clean.
She dressed in scarlet for a last
embrace, as a bride of Christ.
Can anyone face themselves fully,
humbled by truth? We must love
one another or die. It's democracy
and equality in heaven that are needed.
I can see my way in the darkness.
Cancers will radiate for days.
She's past the land of dreaming.
The haggard hawk is in her face.
Now the blanching and the snow.
His eyes will burn into that soul.
Behind clouds the stars are hiding.
And the real work is not just
to clear up the mess or expose
the crimes. It's to build something
better. Will you please join?
A shadow moves off our land.

Junior Gathers All Who Believe In Him (Empires In Iraq On A Spring Day In Hereford)

Bright sun buffs up
the massive front
of saints with swords.
Peaceful it seems.

The bells ring one
world, an eggshell.
The ground shakes
with our own thunder.

The air is liberated.
Blossoming clusters
shatter limbs.
The spring triggers.

So a new world order
might have hung there
if nations united
but to this?

In the name
of one of the gods
smiling vengeance
roots and rots.

From the tower
the view is endless.
A mother weeps
for all the lost ones

and a mother cries
for one world, one
world, apocalypses
not in our name.

The Winter's Tale
(Flotsam And Jetsam For My Mother's Hospital Bed)

Has someone organised the shipwreck
with articles placed in a conscious design?
I wonder how old the ships were, if there were
more than one, landing in Bohemia, pursued
by a giant whale. Cancer eats at
the clock. Time stands still.

The ram horns get trapped in thorns.
Samson keeps appearing. He was blond
and someone cut off his pony tails. The hooks
are bare, catching nothing. The orange, scarlet,
lilac ribbons are garlands from two marriages.
One was in wartime. Santa Claus is silent.

He doesn't exist anymore. And don't forget
the swans. Never forget the swans.
They're everywhere, flying, waving, the snow
colour of illusions. There's a trap in the corner.
Don't walk there. I'm searching for the story
to pass time, a breathtaking one, of birth

and death. Who wakes from stone? The thick
string hauled anchors. I've found mine.
It creeps in, like the Hanged Man. Don't take
it for granted. I think I will go on journeys,
voyages in the mind. It isn't snowing yet.
Through seas of ice I'll slide, pulling back

her hand. Of course there are two, in different
directions. For the sun I hailed a magic
carpet and reconnoitred Samarkand. The hotels
were full, the ways empty. We're waiting
as if in celebration. Did you hear of peace
in the Middle East? They've cancelled Armageddon.

I've shaken off my old selves. The birth is our own.

Phase Five: A Breaking Hallelujah ('05 Onwards)

Flags In The Wind
(The Ecology And Archaeology Of Small Gardens)

Nothing changes and everything does change.
Your meticulous nail cuttings are flushed down the loo.
You wake today to day a day older.

We slaughter and doctor nature, and help her too,
with pesticide and feed. So this is the saga
where cliffs of crevassed glaciers collapse in the seas.

The sickness bug hops from person to person
like a bird pecking worms between the paving stones.
Leaders don't listen or care about the climate.

Slowly the roses bud with shoots like Man U shirts.
You planted a Celtic angel near the Easter lilies.
Nothing changes but everything does change.

On your palm the marriage line grows deeper.
The dead words were chanted daily with duty
in the tiny chapel. Tell that to Blake's Nobodaddy.

The wind may blow your hat off. On Clun castle
you imagine flags and tourneys. The forest disappears.
Bill Lock slept under the caravan for safety.

Flints for trading were found only on the ridgeway.
You used to smoke by the compost at the bottom of the garden
before patio and shed invaded. Raw from hunting

Wild Edric met his match among the wild women.
There are no fairies then and now. Or so they say.
Your wife will vanish if you dare to criticise her.

The Joint Sixtieth Celebrations

We had our party. Old friends
came, changed but recognizable.
Those braving the weather brought joy.
All promised to keep in touch.

Where does the soul live? Mine seems
stolen, but will return. I reach
for deep peace. All can't be restored.
Pat's aunties sit at the centre

of family circles. There's a space
for my mother. Ruby did cart
wheels while Freya watched Theo crawl.
Margaret told amazing stories

of hardship – how father Bert was
blown up by mines leaving the harbour;
Bill was found clinging to the wheel
three days later with half a face.

He sought out Bert's widow when he
was seventy, never forgetting.
There are survivors. People make
connections. We move into place

as the elders. I remember
my last visit to mum in her ward.
There's hardly any disturbance.
Time just moves on and people die.

But we celebrate. Love lasts and
the heart revives. Pat traces her
resemblings. Becky brings sunlight.
Parents live on in blood and eyes.

Still Life – Is He Thatcher's Child?

To construct reality for the ego you need
sure foundations. Harmony may be an issue.
The blue jug draws the eye
but is neatly set to balance
mug and coffee-maker. History
should swirl in the background, with love.

The times are shaped by indistinct forces.
Analysis helps: peel off the labels
but nothing too simple for a new
beginning as the Age finds its songs.
Can a non-existent God be sleeping?
It may all collapse again. Be firm.

This wrestle with words as you try to catch
the bodymind breathing! A dreamer too,
I'd love to rise to majesties that are just
to what the world might be – but recipes
reduce invention. History evolves
in choices: Cameron's poised for takeover

and I'm ready to scream if it all collapses
again. Pick up the pieces and place them
carefully in a vision of love you know
will last to show to all who are ready.
The composition just takes some shuffling.
There's a world out there and in here too.

Swimming through shit I make it to the beach
and change, picking through clothes and identities
on offer. I want something new.
Remember the dreams replaced by dreams
in the motions of days and ages – and exult,
please, in the harmonies they could be composing.

State Funeral

Childe Roland to the dark tower came -
the whole world bound up in a spider's
web, lonely but with diversions to
pass the night. How cruel were you both?
It's dark and I'm scared – the survival
of the strongest in devastation.

Did you ever love, or see the light?
If it was fame you wanted, who could
you share it with, no one as equal?
I suspect thousands died on web-racks
of iron: lady, you broke my heart.
It's as if there's something in this world

that had to leave. We will rejoice when
it's over – the last residues left
after Satan. Your ten dictators
are quitting the stage. A police state
to rival Stalin's with futures groomed
you planted to steel genteel facades.

You cried at losing power, that bitter
sweet pain, but could never stop plotting
for the country to want you again.
Deceiving icons can be replaced.
If you change the dark still calls you home.
All you stood for helps us find ourselves.

The Wider Ripples Of Love

I'm just playing with concepts of the soul.
Listen. Will my soul speak to me and you?
Tune to waves from the conscious universe.
Fish becomes bird. Dolphin arches from foam.
A chalice holds blood. Silver goblets glow.
Our boats are beached but we journey through stars.
Precious stones, see, stream with light in repose.
Wake to this morning where old dreams turn new.

Still I try to be my doubting hero.
You burn your selves, at the centre and more
than a queen. I dream that white lights will join
with newage spirits, reasons, knowledge, forms.
We talk over news, plan larger projects.
Relax. Enjoy. The quests are nearly home.